LES ÉNIGMES DE L'UNIVERS

Collection dirigée par Francis Mazière

MAURICE GUINGUAND
et Béatrice Lanne

L'OR
DES TEMPLIERS

Gisors ou Tomar?

ÉDITIONS ROBERT LAFFONT
6, place Saint-Sulpice, 75006/Paris

Si vous désirez être tenu au courant des publications de l'éditeur de cet ouvrage, il vous suffit d'adresser votre carte de visite aux Éditions Robert LAFFONT, Service « Bulletin », 6, place Saint-Sulpice, 75006 Paris. Vous recevrez régulièrement, et sans aucun engagement de votre part, leur bulletin illustré, où, chaque mois, se trouvent présentées toutes les nouveautés — romans français et étrangers, documents et récits d'histoire, récits de voyage, biographies, essais — que vous trouverez chez votre libraire.

Une nuit, un géant, Bouvier d'Etoiles
indiqua le Signe vers la Mer où
poussent les Oliviers sacrés,
recouvrant de leur ombre l'Or des
Tabernacles et celui des Templiers.

SOMMAIRE

LE TEMPLE DE SALOMON

« Et Salomon voulut construire un Temple à l'Eternel. »

Les souverains des royaumes d'alentour offrirent à Salomon les bois et matériaux qui étaient nécessaires et la Nubie lui fournit tout l'or qu'il désirait. Il fit appel à Hiram, le fondeur phénicien, et demanda son concours à la Reine de Saba. Hiram édifia les deux colonnes du Temple. L'une avait une hauteur de dix-huit coudées et un fil de douze coudées pouvait encercler l'autre. Puis, il exécuta les chapiteaux qui surmontaient ces deux colonnes.

Quand le Temple fut construit, les murs reçurent un revêtement en magnifique bois de cèdre, lequel fut ensuite entièrement habillé d'or. Les objets du culte et le Grand Chandelier à sept branches furent coulés dans l'or massif.

Tout fut du métal le plus précieux à la gloire de l'Eternel. Rien n'était trop beau pour abriter l'Arche d'Alliance et les Tables de la Loi gravées de la main même de Moïse sur le Sinaï et jalousement préservées.

Le Temple fut dédicacé.

Pour le réaliser, Salomon avait su s'assurer la participation d'un maître fondeur initié à la Connaissance des Phéniciens, intrépides navigateurs qui furent aussi les bâtisseurs de Tyr et de Sidon. Sa Sagesse lui avait permis d'obtenir les conseils de celle qui était la détentrice du Savoir originel du monde, la Reine de Saba, dépositaire de la Tradition des Premiers Ages, suprématie que les Egyptiens n'avaient pu ravir à son Peuple.

Deux Sources, deux Connaissances, s'étaient donc alliées pour la perfection de cette œuvre que Salomon voulait grandiose et qu'il savait ne pouvoir mener seul, bien qu'il fût le détenteur de la Coudée Sacrée égyptienne que Moïse avait ravie lors de la Fuite d'Egypte. Pendant près de quatre siècles, le Temple sera la gloire d'Israël et sa splendeur fera l'orgueil du Peuple juif.

Viendront ensuite des temps difficiles. Nabuchodonosor II, voulant rendre à Babylone tout son faste passé, entreprit de vastes conquêtes. En 586 av. J.-C., il s'empare de Jérusalem et, après avoir détruit le Temple, il emmène les Juifs en captivité à Babylone. Ce n'est qu'après 538, grâce à la tolérance des successeurs de Cyrus II, roi des Perses qui s'était saisi de Babylone, que les enfants de Moïse seront autorisés à regagner leur pays.

Zorobabel s'évertua à rebâtir le Temple et son œuvre fut achevée par le scribe Esdras qui, sous le règne d'Artaxerxès, entre 404 et 358 av. J.-C., parvint avec Néhémie à ramener à Jérusalem la majeure partie de l'importante colonie juive qui demeurait encore à Babylone.

Le précieux dépôt que renfermait le Temple avait cependant pu être préservé et l'Arche d'Alliance n'ira pas à Babylone. Elle demeurera cachée dans l'abri sûr qu'on lui prépara dès l'annonce des prochaines vicissitudes. Il est probable qu'une grande partie de l'Or du Temple prit aussi le même chemin et que Nabuchodonosor n'eut pas à faire traîner des chariots aussi lourds qu'il l'avait escompté.

Le Temple rebâti fut encore fort beau mais, sans doute s'abstint-on par prudence de le rehausser de plus de richesses qu'il n'était nécessaire. Il y eut pourtant assez d'or, encore, pour exciter la convoitise des Romains qui, après avoir détruit le Temple, emportèrent à Rome leur butin.

En 135 apr. J.-C., après une dernière révolte, c'est la fin du Royaume d'Israël. C'est vers cette époque, au IIe siècle, que commence déjà, pour Rome, le déclin. Ses démêlés avec les Barbares qui, de tous côtés, menacent l'immense empire, achèveront sa ruine. Ce sont d'abord les Huns, arrêtés à temps, mais suivis de près par d'autres peuplades qui, peu à peu, envahissent l'Europe centrale et derrière la ruée formidable des Goths, à nouveau la poussée irrépressible des Huns.

Les Wisigoths occupent d'abord les territoires bulgares et l'empereur romain Théodose se voit bientôt contraint à leur accorder le statut de peuple fédéré de l'Empire. Mais les Wisigoths ne sont pas hommes à demeurer immobiles, cantonnés sur un territoire restreint. Ils déferlent en vagues impétueuses jusqu'aux portes de Byzance et envahissent toute la Grèce. Leur chef, Alaric, les entraîne à travers la Vénétie vers Milan, tandis que, parallèlement, une

13

invasion de leurs frères ostrogoths oblige Rome à composer définitivement avec les Barbares.

Pendant ce temps, les tribus installées en Europe centrale, Suèves, Alains, Vandales, sont refoulées par les Huns vers le sud de l'Europe. Suèves et Vandales s'établissent en Galice, tandis que les Alains descendent jusqu'en Lusitanie.

De son côté, Alaric, négociant l'aide de Rome car il est menacé de famine, s'allie avec le Régent Stilicon. Mais, bientôt déçu, il se retourne contre son allié et pendant deux ans menace Rome. Le 24 août 410, il pénètre dans la Ville qui sera, pendant trois jours, livrée au pillage de ses hordes. Quittant l'Italie, il gagne la Gaule et se dirige vers les riches plaines du Languedoc et d'Aquitaine, envahissant Narbonne, Toulouse et Bordeaux. L'empereur romain Honorius ne peut arrêter son élan et Athaulf, successeur d'Alaric et époux de la propre sœur d'Honorius, Galla Placida, capturée lors du sac de Rome, réclame la reconnaissance formelle des territoires occupés.

En 418, les Wisigoths sont maîtres du Périgord, de la Saintonge, de l'Angoumois, du Poitou, et du Languedoc. Athaulf assassiné, son successeur Wallia traite avec Constance, le chef de la Milice romaine et accepte de se rendre en Espagne pour combattre les Barbares turbulents qui y sont installés. Il les décime et les Vandales, sous la conduite de leur chef Genséric, gagnent l'Afrique du Nord dont les richesses en blé représentent pour toutes ces peuplades d'origine nomade et souvent victimes de cruelles famines, le fabuleux mirage d'un Paradis terrestre.

C'est ainsi qu'entre 418 et 422, les Wisigoths s'installent aussi en Espagne et au Portugal, au sud du Douro, après avoir conquis Braga, capitale des Suèves dont le nom barbare « Portucal » allait devenir celui du futur royaume. Lorsque quelque trente ans plus tard, les Huns déferlent sur la Gaule et sur l'Italie, le Royaume wisigothique dont les places fortes se dressent depuis Carcassonne jusqu'à Tolède, reste à peu près indemne. Dès 453, il s'émancipe d'ailleurs de la suzeraineté romaine pour devenir une monarchie dynastique.

Depuis le milieu du IVe siècle, l'apôtre goth hellénisé, Oulfila — ou Voulfila — était allé porter la « Bonne Parole » chez ses compatriotes alors cantonnés dans les provinces danubiennes. A cette époque, l'hérésie d'Arius régnait en maîtresse à Constantinople. Elle s'opposait à la doctrine orthodoxe de l'Eglise romaine, définie lors du Concile de Nicée, principalement sur le dogme de la Trinité. Présentant également un caractère de simplicité relative par rapport au catholicisme romain, cet arianisme était mieux susceptible de convenir à la rusticité barbare.

De leurs contacts avec les Grecs et les Sarmates de la région de Crimée et les bords de la mer Noire, les Wisigoths avaient tiré aussi les sources de leur inspiration artistique.

L'art ornemental avait pris, depuis longtemps, dans ces pays, un merveilleux développement orienté sur le travail des métaux. Les Wisigoths en retinrent le goût des armes ciselées, des parures à pendeloques brillantes, des poignées d'épées et des bijoux. L'éclat des pierres ou des verroteries de teintes sombres, serties dans des filigranes d'or ou de cuivre, venait rehausser de riches motifs décoratifs, des formes plus ou moins grossièrement stylisées. Ces œuvres possèdent cependant une étonnante qualité artistique et le trésor wisigothique découvert en 1858 à Guarrazar, près de Tolède, contenait des pièces d'orfèvrerie d'une rare beauté. Ils font actuellement partie des plus précieux joyaux du Musée de Cluny.

De fortes rivalités provoquèrent une scission au sein du groupe wisigothique. Une partie du peuple demeura en Gaule avec sa part de butin, tandis que l'autre s'en fut transplanter son camp en Espagne, emportant sa part des richesses récoltées dans les pillages antérieurs.

Ni les uns ni les autres ne furent épargnés.

En Gaule, Clovis remporte la bataille de Vouillé. Alaric II y trouve la mort et les Wisigoths doivent abandonner leurs conquêtes. La plupart de leurs places fortes sont rasées.

Ceux d'Espagne et de Portugal sont battus à plusieurs reprises entre 527 et 565 par Justinien, l'empereur romain d'Orient et les Byzantins demeurent en Algarve jusqu'au VIIᵉ siècle.

1

LE MIRAGE

En 526, Félix IV — saint Félix — monte sur le trône de saint Pierre. Sa nomination est due à l'autorité de Théodoric, roi des Ostrogoths.

Chaque peuple s'efforçait de détenir le privilège de désigner lui-même son clergé et le chef suprême de celui-ci, affirmant la primauté de ses options religieuses et renforçant ainsi son autorité et son prestige.

En 530, on assiste même à l'élection d'un pape goth, Boniface II. La papauté qui considérait déjà avec une certaine indulgence l'hérésie des Wisigoths qui avaient contribué à débarrasser la péninsule Ibérique des Barbares les plus indésirables a réussi, enfin, à les rallier au catholicisme romain.

En ces époques où l'Eglise a tant de peine à établir sa puissance, les préoccupations matérielles dominent. Elles sont multiples.

Un siècle plus tôt, Innocent Ier a assisté au pillage de Rome et, impuissant, il a vu disparaître dans la tourmente le fabuleux trésor accumulé par Rome tout au long de siècles de prestigieuses conquêtes. L'Or du Temple de Jérusalem n'en fut sans doute

17

pas, aux yeux du chef spirituel de l'Eglise, la part la plus négligeable.

Mais il est une question plus importante encore que celle de l'Or du Temple et là, on se perd en conjectures.

Qu'en est-il advenu de l'Arche d'Alliance ?

Fut-elle enlevée par les Romains avec l'Or, au moment de la destruction du Temple ? Rien ne le confirmait.

Ce qui demeurait certain c'est que sa disparition coïncidait avec cette destruction.

De fait, aux premiers siècles de l'ère chrétienne, les Hébreux ne sont plus en possession de l'Arche de Moïse.

Peut-être en étaient-ils même privés depuis long-temps sans en avoir rien révélé ?

Si l'on en croit la tradition abyssine, le fait s'était produit au temps de Salomon. Un récit[1] que l'on considère en Ethiopie comme à peine légendaire relate cette histoire, aussi vigoureuse et haute en couleurs que les textes bibliques eux-mêmes :

« Makéda, la Reine de Saba, dont le puissant royaume se situait entre les deux bords de la mer Rouge, entreprit un jour un long voyage vers le nord.

Elle avait entendu parler de la Sagesse du Roi Salomon et on lui avait rapporté la splendeur des richesses dont il s'entourait. Elle se mit en route avec 797 chameaux, un grand nombre d'ânes et de mules, tous chargés de présents. Salomon fut heu-

---

1. Maxime Cléret, *Ethiopie, fidèle à la Croix*, Éd. de Paris.

reux d'accueillir cette Reine d'une éblouissante
beauté, arrivant d'un pays merveilleux. Il lui offrit
des mets variés et onze robes chaque jour.

Elle demeura longtemps, admirant la sagesse avec
laquelle il dirigeait les ouvriers de son Temple,
s'entretenant avec lui de questions religieuses. Elle
adorait le Soleil, la Lune et les Etoiles et transmit à
Salomon l'essentiel de sa Connaissance pour l'édification du Temple.

Elle décida enfin de repartir pour s'occuper de son
Royaume. Quand Salomon l'apprit, il se demanda:
« Dieu me donnera-t-il un enfant de cette femme si
belle qui est venue jusqu'à moi de l'autre bout du
Monde? »

Il décida d'accomplir son dessein. Au banquet qu'il
donna en l'honneur de la Reine, il fit servir des mets
très épicés afin qu'elle eût fort soif et comme le soir
tombait, il lui offrit de passer la dernière nuit dans
son palais.

Elle y consentit à condition qu'il lui jurât de ne
pas la prendre de force. En retour, elle accepta de
ne s'emparer de rien de ce qui se trouvait dans le
palais. A chaque extrémité de la pièce deux lits
furent dressés où ils s'allongèrent. La Reine s'éveilla
bientôt, la bouche sèche et, apercevant une jarre que
des serviteurs avaient placée au milieu de la
chambre, elle voulut s'y désaltérer. Mais Salomon
veillait. Il l'arrêta et lui dit : « Tu as rompu la
promesse que tu m'avais faite. » La Reine se récria
que ce serment ne valait pas pour l'eau, mais le Roi
lui ayant répondu que rien en ce monde n'était plus
précieux, elle reconnut son tort et demanda à
boire.

Salomon ainsi délié de sa promesse obtint ce qu'il souhaitait. Puis, il confia un anneau à la Reine en lui disant : « Si tu as un fils, remets-lui cet anneau. » La Reine partit pour l'Ethiopie où elle mit au monde un fils qu'on nomma Ménélik.

Ayant atteint l'âge d'homme, il désira rendre visite à son père. La Reine lui remit alors l'anneau et il se mit en route avec une suite nombreuse.

Comme il ne voulait pas régner en Israël malgré le désir de son père, Salomon l'oignit de l'Huile Sainte de la Royauté et il retourna en Ethiopie.

Et la version éthiopienne ajoute qu'en même temps que Ménélik partirent les fils des conseillers et des officiers de Salomon, emportant l'Arche d'Alliance qui serait depuis lors à Sainte-Marie de Sion, à Axoum, la ville sainte des Ethiopiens. Une autre tradition affirme que c'est à force de ruses que Ménélik réussit à subtiliser l'Arche des Hébreux.

Quoi qu'il en soit, l'Arche demeure introuvable et, pour le prestige de la papauté qui se veut garante de la Révélation Divine, il serait capital de retrouver le précieux coffre qui contient les Tables authentiques de la Loi.

C'est en tout cas le point de vue de l'Eglise et, tout au long des siècles à venir, elle aura la quasi-obsession de rechercher des preuves tangibles, des témoignages indubitables de la véracité des Ecritures. Elles permettraient d'éloigner le malaise persistant que contribuent à maintenir de désastreuses contestations.

Mais il est aussi un fait qui ne peut échapper à l'œil attentif de l'Eglise laquelle ne manque pas de noter, sans pouvoir y porter remède, les avatars qui accablent certains peuples dont elle a suivi avec un intérêt particulier l'évolution.

Le Royaume juif, privé de son Arche d'Alliance et dépossédé de l'Or du Temple, ne survit pas longtemps à cette spoliation. La décadence romaine ne tarde guère à s'accentuer dès lors que le butin est transporté à Rome et, quand les Wisigoths le ravissent, ils ne sont pas loin, eux non plus, de toucher au terme de leur puissance.

Quant à Babylone, le Livre de Daniel, au Chapitre V, raconte qu'une nuit, tandis qu'il festoyait, Balthazar[1] se fit apporter par forfanterie les vases sacrés enlevés jadis au Temple de Salomon. L'impie vit alors apparaître une main mystérieuse traçant sur les murs des signes incompréhensibles. Daniel ayant été appelé : « C'est Dieu, dit-il au Roi qui a envoyé cette main et voici ce qui est écrit : Mané, Thecel, Pharès. Mané : Dieu a compté les jours de ton règne et il en a marqué la fin! Thecel : Tu as été mis dans la balance et tu as été trouvé trop léger! Pharès : Ton royaume sera partagé! »

Cette même nuit, Cyrus pénétrait dans Babylone.

Quel était donc le mystérieux pouvoir de cette Arche d'Alliance que seul le Grand Prêtre était autorisé à voir derrière le voile qui marquait le Saint des Saints?

Ce coffre en bois de cèdre, revêtu d'une double protection métallique extérieure et intérieure, probablement de plomb et d'or, surmonté de deux archanges d'or aux ailes déployées, devenait en fait une véritable pile électrique et un petit condensa-

---

1. Successeur de Nabuchodonosor.

teur. Il est peu vraisemblable que ses décharges eussent pu foudroyer ceux qui auraient tenté de s'en approcher, mais elles étaient sans doute suffisamment fortes pour impressionner les impudents et les dissuader de s'aventurer plus près de l'Arche.

Il y avait aussi les influx « magiques ».

Les Ecritures parlent des pouvoirs que Moïse et Aaron furent en mesure d'opposer à ceux de leurs rivaux, les Grands Prêtres égyptiens et citent les Dix Plaies fatales dont Moïse réussit à frapper le peuple oppresseur.

De fait, l'Arche avait été réalisée suivant les instructions de Moïse et d'après une connaissance ésotérique, celle du Nombre Sacré qui fut la base du Savoir des Civilisations anciennes. C'est ce que révélait aux initiés la dimension du Propitiatoire posé sur l'Arche : deux coudées et demie sur une coudée et demie, soit un rapport de cinq sur trois, donnant le Nombre Sacré : 1,666 [1].

---

1. Ce nombre serait la racine numérique représentant la valeur inépuisable du féminin éternel. Il se rapporte à une connaissance excessivement ancienne qui aurait permis le calcul des dimensions de la Grande Pyramide, tout comme la recherche des proportions harmoniques des monuments mégalithiques.

Astronomiquement, il correspond à l'observation des positions solaires qui se retrouvent dans les cromlechs, se rapportant aux levers dits « intermédiaires » du soleil dont l'angle, 16°3, permettrait la division du cercle en vingt deux parties égales.

Symboliquement, c'est la signification numérique « isiaque » reprise par les Templiers : 16, 1 et 6 — I Six ou ISIX, tel qu'on le voit gravé sur le pilier octogonal de Saint-Gervais et Saint-Protais de Gisors.

Hermétiquement, c'est le nombre des figures de géomancie, science aussi vieille que le monde, connue même des civilisations noires. Par la décomposition du 1 et de 666, on rejoint les Écrits de saint Jean, séparant le 1 Absolu, l'Alpha et l'Oméga, du 666, le Beta ou BÊTA de la Terre.

C'était la volonté manifestée par les Hébreux de maintenir et de transformer les fluides s'apparentant à un mystère supranormal.

Le Nombre Sacré était celui de la Créature Incréée, la voie vers Dieu, la force vitale qui pénétrait dans la vie mais qui ne se personnifiait pas et encore moins ne se divinisait.

Les émissions fluidiques constituaient un rayonnement magique qui, suivant la qualité des ondes psychiques qu'elles rencontraient pouvaient se transformer en radiations bénéfiques ou nocives. La protection « magique » devait donc empêcher toute violation. Il en était de même pour l'Or et tous les objets sacrés qui, ayant entouré l'Arche d'Alliance, restaient imprégnés des fluides. Le rapt devait entraîner la malédiction et, pour les voleurs, l'Or Sacré devenait un or maudit.

On sait d'ailleurs les tragiques conséquences qu'entraîna, pour les profanateurs, la violation des Tombeaux égyptiens et quelles suites désolantes provoque encore, de nos jours, pour les responsables du Musée du Caire, chacune des sorties d'Egypte du fameux trésor de Toutankhamon.

L'Arche répondait aux mêmes normes magiques que les Tombeaux égyptiens. Elle était issue de la même Connaissance. L'Or du Temple, comme l'Or des Pharaons, était tabou; on ne pouvait se les approprier impunément.

Si pour le pape de Rome, l'Or du Temple et l'Arche d'Alliance présentaient véritablement leur caractère sacré, ils n'en revêtaient pas moins le signe d'une puissance privilégiée. Il n'est donc pas exclu que leur recherche fût dénuée de toute convoitise et ne relevât d'un désir de s'approprier ces éléments d'une magie qui avait fait ses preuves.

Il convient de ne pas oublier que les chefs spirituels de l'Eglise ne furent pas toujours des « saints » et qu'à côté de l'Or du Temple, sinon de l'Arche, figurait peut-être un somptueux butin, accumulé par les Romains et les Wisigoths lors du pillage des innombrables sanctuaires qu'ils profanèrent depuis l'Orient jusqu'à l'Occident.

Mais le souci majeur fut celui de retrouver l'Arche d'Alliance et à cette quête clandestine viendront se joindre de grands prélats, chefs de file des Ordres monastiques dont certains la mèneront parfois secrètement pour leur compte, sans se distraire apparemment de leur tâche essentielle qui resta, avant tout, le développement de leurs communautés respectives et l'expansion du monde chrétien.

L'attirance qu'exercera sur les esprits cette pierre gravée de la main même du grand Thaumaturge sous la Dictée Divine formera pendant des siècles un pieux mirage dont la transposition provoquera la quête mystique du Saint-Graal.

Ce vase précieux, taillé dans une émeraude où Joseph d'Arimathie aurait recueilli les dernières gouttes du sang christique, sera le joyau mythique que l'on recherchera suivant des traditions diverses en terre celte d'Angleterre mais aussi en pays cathare et en terre andalouse en reprenant vers le sud le trajet du butin wisigothique.

2

LES SERPENTS DU CIEL ET DE LA TERRE

396 ans après le début de l'ère chrétienne — soit onze périodes de 34 ans — les Wisigoths cantonnés au sud du Danube entament leur odyssée européenne.

Un premier circuit les conduit vers l'Orient : la Thrace, la Grèce, et Constantinople. Mais la fin de la douzième période provoque l'inversion de leur course et les ramène à l'Ouest, vers l'Italie où, après avoir menacé Rome pendant deux ans, ils réussissent, en 410, leur coup de force.

Puis ils continuent leur route dévastatrice vers la Gaule et jusqu'au bord de l'Océan. Tandis qu'ils s'installent, une partie des leurs tente encore l'aventure, plus loin, vers le sud-ouest, et pénètre en péninsule Ibérique.

Et tout se termine pour les Wisigoths avec la victoire des Francs en Gaule et celle des Byzantins en territoires ibères.

Rien, sur la terre ni dans l'univers ne se produit fortuitement. Il est des lois universelles que l'homme ne peut transgresser, restant d'autant plus tenu à se conformer à elles qu'il est davantage contraint à vivre en collectivité.

Il n'échappe donc pas aux lois de la nature et subit obligatoirement les influences qui régissent toutes les créatures vivantes. Certes, ses facultés lui permettent de déterminer les conditions qui paraissent le mieux favoriser le but qu'il croit s'être fixé lui-même, mais, inconsciemment, il suit les impulsions d'une force invisible qui le pousse là où il doit aller afin d'y remplir le rôle qui lui a été assigné dans la grande harmonie universelle.

Sans même s'en douter, il agit sur ce plan comme les poissons, habitants invisibles du royaume des eaux qui, inlassablement, accomplissent par bandes des migrations réglées par les influences lunaires. Celles-ci régissent le monde sous-marin selon une ligne horizontale dont la surface des eaux n'est que la confirmation. La force du soleil, aux changements saisonniers, anime d'irrésistibles élans les oiseaux qu'elle pousse du nord au sud et inversement, selon une ligne verticale invisible [1].

Première croix cosmique que tracent sur le monde les deux règnes animaux conçus dès le cinquième jour.

Elle symbolise les deux forces actives qui, issues des astres, règlent les cycles du règne animal.

Mais il est d'autres éléments qui, dans notre uni-

---

1. Bien que les étoiles ne puissent servir de guides à la faune marine, ses périodes de migrations correspondent à des positions déterminées de la voute céleste et les oiseaux s'y rapportent fidèlement puisqu'ils s'égarent quand les étoiles demeurent invisibles.

vers tout animé de mouvements, émettent leurs forces propres.

Par sa structure interne, la terre irradie les siennes selon des trajectoires horizontales et verticales qui se croisent sous le sol. C'est ce que nous appelons les forces telluriques et elles s'écoulent suivant des veines plus ou moins importantes.

Pour les premiers hommes qui les nommaient les Serpents de la Terre et les vénéraient comme les divinités des profondeurs, leur couleur était noire. C'est ce qui fut à l'origine des Vierges Noires dont les sanctuaires furent édifiés en des points telluriques particuliers, déjà jalonnés par les Celtes et les pré-Celtes qui, depuis des millénaires, y avaient dressé leurs mégalithes.

A une échelle différente, tout se répète dans l'univers « Ce qui est en bas est comme ce qui est en haut » confirme la Table d'Emeraude de l'Hermès Trismégiste et la voûte céleste, elle-même formée par la multitude d'astres qui y sont en mouvement, continue à émettre des forces qui agissent selon la croix cosmique.

Par suite de sa révolution et bien que son échelle soit infiniment réduite par rapport à la voûte céleste, la terre se trouve, en des moments déterminés, en exacte correspondance avec les directions primordiales du cosmos.

Dans cette voûte étoilée, l'homme a recherché la version céleste de son Serpent de Terre.

Il a vu sa Tête se placer sous la constellation de la Couronne, entre Hercule et le Bouvier et sa Queue se perdre dans l'une des branches de la Voie lactée, là où se trouve le Scorpion. A cette image du Serpent du Ciel, il a adjoint celles de l'Hydre et du Dragon, également issues de leurs correspondances telluriques si bien qu'il est parvenu à déterminer les moments où la coupole céleste pouvait devenir non seulement son initiatrice et son inspiratrice, mais aussi son guide infaillible.

Ainsi l'homme devenait en mesure de suivre l'orientation donnée par la Voie lactée et, grâce à sa connaissance des constellations voisines, il allait même pouvoir tirer d'elle le langage et la signification de ses migrations selon les temps où il les accomplissait.

Et ces temps étaient mesurés en cycles. Cycles variables selon les peuples, leurs origines et selon les bases retenues pour l'observation du ciel.

Pour les Grecs, par exemple, c'était le cycle de Méton[1], cycle de 19 ans qui ramène la lune à une position identique à celle du soleil. Certains peuples très anciens, tels les Abyssins, l'avaient déjà adopté et c'est lui, également, qui servit ultérieurement de base au comput de l'Eglise chrétienne.

Les Mésopotamiens se référaient au « saros », cycle lunaire aussi, dont la durée portait sur 18 ans et onze jours, tandis que les Egyptiens retinrent un cycle extrêmement long — 1 466 ans — basé sur l'observation de l'étoile Sothys. Les Incas dont la civilisation était axée sur l'observation de la planète Vénus vivaient aux rythmes découlant de ses révolutions : 26 et 13 ans.

Les peuplades « barbares » apportaient depuis les

---

1. Astronome grec du IVe siècle av. J.-C.

steppes d'Asie leurs connaissances propres, issues des observations nordiques. Au fur et à mesure de leur avance vers l'Europe méridionale, elles les révisèrent en les complétant.

Dans l'Est septentrional, à la fin du mois d'octobre, il est une étoile qui prolonge l'étoile polaire sur la ligne de l'écliptique. C'est l'étoile Arcturus de la constellation du Bouvier.

A 26 degrés à l'ouest, se trouve Pégase, le Cheval Ailé de la mythologie grecque et ce sont bien des chevaux ailés que ces hordes vont enfourcher pour descendre sur Rome.

Ils bifurquent un temps et suivent, vers l'est, la Voie lactée, puis ils rebroussent chemin et, le 24 août 410, aux portes de Rome sanglante, Arcturus leur montre le chemin de l'Ouest. Ils le suivront jusqu'à la rencontre d'une veine tellurique qu'indique la Voix lactée.

Que connaissent-ils exactement de tout cela?

Nous ignorons la somme de leurs connaissances mais il s'avère que ces peuplades étaient plus évoluées, sur certains plans, que les civilisations décadentes qui leur attribuèrent le qualificatif de barbares.

Quoi qu'il en soit, aveuglément ou non, ils suivent le destin qui leur est imparti.

Arrivés en Gaule en bandes disséminées, ils se regroupent au sud de Carcassonne, sur une importante veine tellurique qui, en ondulant, traverse la France.

C'est sur cette veine où par ailleurs l'archéologie a mis au jour d'importants vestiges préhistoriques, que subsiste encore le plus ancien sanctuaire dédié au culte des Vierges Noires : Rocamadour.

Curieusement, cette veine qui se prolonge vers l'Espagne, vient croiser la ligne de force tellurique horizontale qui, par Tolède, rejoint l'Estrémadure, faisant la jonction entre l'Estra-Amadour et Roc-Amadour.

Près de Carcassonne, dans un chaotique gisement mégalithique qui domine les crêtes rocheuses, confirmant la prédestination du lieu, les Wisigoths établissent leur capitale, Reddae. La place forte, construite sur un plateau que domine un piton rocheux, surveille toute la région et devient le centre du royaume wisigothique du Razès.

C'est au soir du solstice que la Tête du Serpent céleste vient y inspecter son reflet terrestre, le Serpent du Sol, cette veine tellurique si bien faite pour recevoir et préserver un butin précieux.

Mais la Voie lactée se divise en deux branches et, comme elle, les émigrants se séparent. Les premiers demeurent sur la veine centrale tandis que les seconds franchissent les montagnes en suivant la loi que dicte le Serpent de la Terre et gagnent la péninsule Ibérique par le col d'Andorre.

C'est ce chemin, le plus accidenté pourtant qui demeurera entre eux le lien le plus sûr.

La liaison cosmique se maintient, en effet, et il suffit de regarder la Voie lactée.

Sa première branche indique la direction de la Galice, traçant la route initiatique qu'emprunteront plus tard les pèlerins de Compostelle et les argotiques ou bâtisseurs « gothiques » qui, sans le vouloir, hériteront du nom de ceux qui les précédèrent sur ces routes.

Cet euphémisme, à peine voilé, du qualificatif de barbare attaché à leurs œuvres par la malice d'une postérité quelque peu béotienne, n'en recoupe pas moins une vérité historique.

Puisqu'elle n'a pas pu emprunter celle du Cap Finistère en Gaule, la marche wisigothique retrouve la voie tellurique qui mène au Cap Finisterre de Galice.

La seconde branche de la Voie lactée montre, plus au sud, la ligne à suivre pour atteindre un autre territoire, lui aussi prédestiné, qu'il faut reprendre aux Alains. Car c'est bien cette Lusitanie qu'indique la constellation d'Orion lorsque se lève, à l'ouest, celle du Bouvier que vénère la Tradition wisigothique.

C'est ce Bouvier, Gardien des Bœufs, qui demeure la constellation primordiale tandis que celle du Taureau, Tau-aureus, le « Signe de l'Or » répète le message déjà délivré aux Romains lorsque ceux-ci, grands chercheurs d'or, vinrent en péninsule ibère.

Il faut donc suivre le Serpent et continuer toujours vers l'ouest, comme le confirme la seconde ligne brillante du Serpent céleste à la Double Queue, car c'est ainsi que l'on parviendra à Tomar, Tau-mare, le « Signe près de la Mer ».

Orion ne l'indique qu'en hiver. Au solstice d'été, seule la constellation du Cygne domine la Voie lactée vers le nord, lors de la fête de Marie-Madeleine [1].

---

1. Cf. chapitre « Le Royaume du Prêtre Béranger », p. 85.

Les Wisigoths eurent le temps de s'initier aux vocables grecs des constellations et d'apprendre leurs légendes.

Parmi ces illustrations astronomiques, ils se souvinrent sans doute à bon escient de celle de Léda et du Cygne où Zeus, séduisant l'épouse de Tyndare fait tomber sur eux une pluie d'or.

N'est-ce pas l'image même de la Voie lactée, ce nuage d'étoiles brillantes qui enveloppe le Cygne au firmament?

Sinon, pourquoi auraient-ils baptisé leur capitale ibérique — où fut enfouie une partie de leur trésor — du nom de Tolède, Taulèda?

Orion, c'est le Guerrier, le Mars romain. Et le point final de la longue marche se placera sous l'égide de cette constellation quand Arcturus sera à l'est.

C'est à Tomar, sous le signe de Mars et sous sa garde que les Wisigoths feront l'ultime dépôt de leurs trésors, en respectant les mêmes règles que leurs frères de Gaule.

Ils se fixent auprès de leur maléfique butin sans savoir que, bientôt, il faudra payer la rançon obligatoire.

Et c'est de l'est que vient la vengeance, avec les Byzantins qui arrivent à détruire leurs places fortes, comme l'a fait Clovis pour leurs compatriotes de Reddae au lendemain de la bataille de Vouillé.

3

UNE CARTE ETOILEE

La voûte céleste fut la charte générale qui servit à l'orientation de tous les nomades, de tous les voyageurs, qu'ils fussent barbares ou plus civilisés.

Pour se guider, de jour comme de nuit, l'homme des Temps anciens ne pouvait compter que sur la nature et chacun devait en savoir assez pour ne pas s'égarer. L'observation faisait partie de la vie quotidienne et l'orientation était une aptitude vitale que chacun possédait. Le ciel était à la fois l'augure et l'oracle et le soleil devenait le signet des principaux chapitres.

Au crépuscule, l'apparition de la première étoile permettait de retrouver la position de certaines constellations et le ciel nocturne, quand il était suffisamment clair, fournissait toutes les précisions qu'il fallait pour orienter sa route vers les régions que l'on souhaitait atteindre.

Chaque constellation avait son nom, sa personnalité. Les étoiles fixes, facilement repérables, formaient les points de mire, tandis que la Voie lactée précisait les temps du voyage et ceux du campement hivernal.

Chaque nuit, il fallait tenir compte d'un décalage correspondant à la fois au déplacement apparent du soleil et au mouvement réel de la terre.

Nous ignorons tout des conceptions qui pouvaient exister à ce sujet. En ces époques reculées on imaginait que le ciel tournait autour de la terre.

A ces observations s'ajoutaient celles des phases de la lune, chronologiquement régulières, ainsi que celles des planètes qu'un œil exercé pouvait identifier à la coloration de leur lumière, jaune pour Saturne, rouge pour Mars, verdâtre pour Vénus...

Le voyageur avait ainsi toutes les coordonnées voulues et il ne lui restait plus qu'à compenser, suivant ses connaissances particulières, le décalage de l'axe de la terre en fonction de son itinéraire.

Possédait-il des instruments?

Certes et qui sont les ancêtres mêmes des outils perfectionnés qu'utilisent de nos jours astronomes ou navigateurs.

Le plus ancien, en même temps que le plus précieux, existait déjà, semble-t-il, au temps des grottes préhistoriques puisqu'on peut le voir figurer sur une fresque à Lascaux.

Il est regrettable que les préhistoriens n'aient pas su l'identifier. Dans sa version archaïque, cet instrument se présente comme une flèche orientable, permettant par l'une de ses extrémités l'observation solaire et, par l'autre, l'observation lunaire, répétant les angles caractéristiques de leurs révolutions ainsi que la répartition des étoiles. (Cf. Dessin 1.)

Jusqu'à présent on n'a rien trouvé, dans les fouilles qui paraisse susceptible d'avoir été l'astrolabe des

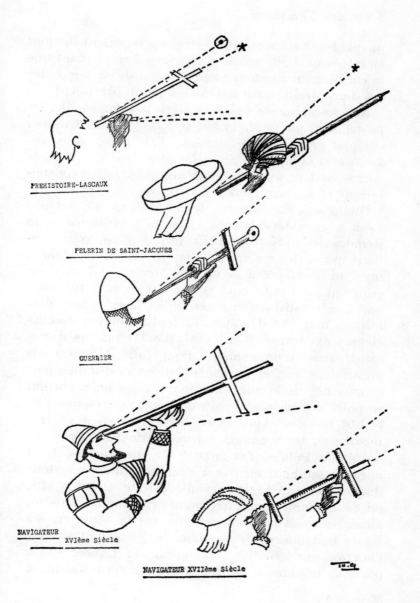

PREHISTOIRE-LASCAUX

PELERIN DE SAINT-JACQUES

GUERRIER

NAVIGATEUR
XVIème Siècle

NAVIGATEUR XVIIème Siècle

peuplades barbares. Peut-être se servaient-ils tout simplement de la poignée de leur sabre pendant que le col de leur monture et le sommet de sa tête entre les deux oreilles, formaient les points de mire ?

A leur retour de Saint-Jacques-de-Compostelle, les pèlerins disposaient, quant à eux, d'un instrument complet grâce à leur bourdon — le bâton de voyage — et à la coquille Saint-Jacques dont les rainures correspondent aux positions des principales constellations et à leurs étoiles maîtresses.

Quant aux navigateurs, leur technique ne dut pas évoluer considérablement entre la préhistoire et la Renaissance puisqu'on peut voir, sur les reproductions des cartes marines du XVe siècle, un instrument presque identique à celui de Lascaux. Il faut donc croire que cet outil, tout rudimentaire qu'il fût, donnait totale satisfaction à ses utilisateurs. Il leur permit, en tout état de cause, de tenter nombre d'audacieuses aventures. Il est vrai que les marins disposaient aussi d'un compas. Pour faire le point, ils mesuraient d'après les constellations la distance parcourue depuis le port de départ. C'est en reportant ce point sur un plan arbitraire de parcours que l'on établit, lors des expéditions maritimes vers des terres inconnues, les premiers relevés cartographiques.

L'étoile Polaire fut connue de tous temps. C'est elle qui semblait être le « clou du monde » autour duquel tournait toute la voûte céleste. Grâce à elle, on déterminait les quatre points cardinaux. Très tôt aussi, on avait pensé à reporter sur la terre, en des lignes imaginaires, la position des constellations sur l'horizon. La position maximum du Cancer et la position minimum du Capricorne déterminaient, à égale distance de l'Equateur, la ligne des Tropiques.

Les civilisations antérieures nous ont légué un considérable héritage. On reste parfois surpris de l'étonnante précision de certaines cartes parmi lesquelles, il nous faut citer celles de Piri Reis dont les éléments semblent remonter à une époque mal déterminée, entre 3 000 et 8 000 ans av. J.-C.

Cette extraordinaire collection qui comporte quelque deux cent quinze cartes — exécutées entre 1513 et 1528 — fut découverte en 1929 dans les archives du Musée Topkapi et constitue l'une des plus curieuses énigmes actuelles.

Elle appartenait à un navigateur turc, Piri Reis, intelligent et exceptionnellement savant qui releva scrupuleusement toutes les indications qu'il lui fut possible de trouver sur les cartes de son époque.

Il n'en subsiste malheureusement que des fragments, mais tellement étonnants qu'ils ont motivé les études les plus poussées. Aux U. S. A. on s'est penché plus particulièrement sur les relevés de l'Atlantique avec tous ses rivages, américains, européens, africains, arctiques et antarctiques dont les tracés sont beaucoup plus exacts que ceux qui figurent sur les autres cartes contemporaines.

Le calcul des longitudes y est basé sur un principe totalement inconnu. Il fallut, pour l'élucider, de longues années de recherches. Mais l'élément le plus extraordinaire concerne le tracé des terres arctiques avant la glaciation actuelle. Des forages effectués dans l'épaisseur de la banquise, au pôle Sud et au pôle Nord, ont permis de vérifier l'exactitude des cartes de Piri Reis. On a même été obligé d'admettre que leur précision l'emporte sur certains relevés scientifiques effectués en 1954.

Quelles furent les sources du cartographe turc?

Il semble, en ce qui concerne l'Atlantique du moins, que seuls parmi les navigateurs de l'Antiquité, les Phéniciens aient pu avoir l'audace de s'aventurer à explorer des océans, à la recherche d'un continent hypothétique dont une tradition ancienne mentionnait sans doute l'existence.

Des impératifs économiques ont pu les pousser à passer sous silence l'existence de ces lieux d'approvisionnement, la puissance de leur très petit pays étant uniquement basée sur la marine et la connaissance secrète de tels lieux. C'est du reste ainsi que procédèrent plus tard les Portugais qui s'efforcèrent de préserver aussi longtemps que possible — pendant près d'un siècle — le secret de leurs aventures brésiliennes.

Mais dans l'état actuel des recherches, il est inexplicable que des relevés aussi précis que ceux de Piri Reis aient pu être établis sans le secours de l'aviation et ceci, qui plus est, pour les régions arctiques et antarctiques, à une période antérieure à la glaciation des pôles, il y a 9 000 ou 10 000 ans.

Pourtant si l'on imagine l'existence, en un temps, d'une civilisation extrêmement avancée, il faut croire qu'après avoir possédé une connaissance supérieure — peut-être universelle — subitement anéantie ou disparue, l'homme s'est trouvé au seuil d'une nouvelle évolution, ignorant, rétrograde, ne disposant pour tout bagage que d'une tradition transmise sous forme de légendes.

Bien que l'on n'y pense guère, généralement, les

légendes traduisent des positions constellaires. Les mythologies, égyptienne, grecque, romaine, sont fondées sur les repères célestes. La religion catholique utilisa, sous une forme différente, les mêmes données pour l'établissement de la plupart de ses fêtes et commémorations religieuses. Celles-ci coïncident, en fait, aux dénominations et aux positions constellaires.

Les étoiles forment le canevas et la clé du mythe tout à la fois.

Par la division d'un cercle en quatre, huit, seize ou trente-deux parties, l'homme a pu faire coïncider les divisions arbitraires du sol et du ciel. C'est sur ces divisions qu'il a établi ses premières cartes marines. C'était l'application concrète d'un principe exotérique divulgué et communément utilisé.

A cela s'ajoutait un principe ésotérique, issu d'un symbolisme numérique, rapporté à une application angulaire.

Le rapport de un sur deux donne un angle de visée verticale répondant à l'observation circulaire de Vénus et, en plan horizontal, à la distance qui sépare les constellations de la Vierge et de la Coupe ou encore celle des étoiles Sirius du Grand Chien et Rigel d'Orion.

Cette connaissance sera la base de celle des navigateurs phéniciens, de celle des bergers — car Vénus est également l'Etoile du Berger. Elle guidera la marche des pèlerins sur les grands chemins de la Foi, tel celui de Compostelle, route des maîtres d'œuvre et des compagnons argotiques, route des premiers alchimistes que des « barbares » précédèrent.

Des ésotéristes, des alchimistes, plus évolués, se référeront, vers la fin du XIIe siècle, à une cosmogonie plus élaborée, basée sur un rapport de deux sur trois.

Celui-ci détermine une diagonale de 34 degrés qui permettra l'observation de Jupiter et celle de la constellation des Gémeaux. C'est elle qui deviendra le « Signe » templier, confirmé par le soleil au solstice, puisque c'est au 21 juin qu'il atteint le maximum de sa course zénithale, entre Gémeaux et Cancer, formant un angle de 51°42, répété la nuit par la constellation du Dragon.

C'est alors que l'angle de 34 degrés se subdivise en deux angles de 17 degrés, formant les repères de l'étoile Aldébarran du Taureau et de l'étoile Arcturus du Bouvier.

Au fur et à mesure du déroulement des cycles, l'influence stellaire détermine les tendances des civilisations et les connaissances propres à chacune d'elles forment la source de leur inspiration.

Ainsi, quand en 396 les Wisigoths commencent leur ruée vers l'Orient, ils ne font que subir la loi qui détermine leur destin particulier. Ils entament un cycle de pérégrinations qui s'achève 34 ans plus tard, en 430, et quatre périodes de 34 ans s'écoulent jusqu'au milieu du VIe siècle, marquant la fin de leur civilisation.

Mais les cycles continuent.

Seize périodes de 34 ans après l'écroulement de la monarchie wisigothique en péninsule Ibérique, débutent des migrations d'un autre genre. En 1096, des foules animées d'une foi vengeresse partent vers l'Orient lutter contre les hérétiques.

Il faut attendre encore 34 ans pour que d'autres pèlerins, à la fois moines et soldats, après avoir suivi ce même chemin vers l'Orient, ne quittent Jérusalem et Constantinople pour retrouver des secrets enfouis sur la voie wisigothique.

Ces hommes partis à la recherche de l'Arche subiront l'inversion cosmique qui les conduira sur les traces de l'Or du Temple. Ils formeront la Milice du Christ et on les nommera les Templiers.

4

LE SIGNE PRES DE LA MER

Peuple de l'Ouest, comme l'indique son nom — west-goth ou wisigoth — il accomplit jusqu'au bout sa destinée, payant à son juste prix le vol impie d'un trésor fabuleux aux magiques sortilèges. Le voici, au milieu du ve siècle, campant devant Tolède et poursuivant sa route plus loin encore vers l'ouest, au fur et à mesure qu'il parvient à refouler d'autres Barbares.

Il suit la ligne tellurique qui traverse la péninsule avec le cours du Tage, recherchant le point de jonction avec une veine verticale qui descend du nord, parallèle à celle où ses frères demeurés en Gaule bâtissent Reddae.

Il la trouve enfin dans la région de Tomar qui deviendra le centre de l'un des principaux comtés du royaume wisigothique-lusitanien.

La ville, au bord de la rivière Nabao, fut l'important port fluvial de Nabancia au temps des Romains. Les Wisigoths s'installent légèrement au nord de celle-ci et fondent Theodomar.

En 537, la Reine Sancha, femme du roi des « Godos » convertie au catholicisme romain, fait venir d'Italie une douzaine de moines qui, avec le frère Bernardo de Bristo, deviennent les fondateurs d'un premier couvent dans lequel vivra saint Bento venu lui aussi d'Italie. C'est le point de départ de l'implantation de l'Ordre de San-Bento dont l'abbé, Lucenio, devient évêque de Coimbra, tandis que l'Ordre se développe rapidement.

Deux couvents de l'Ordre sont édifiés à Tomar par saint Fructuoso qui en 641 devient archevêque de Braga.

Mais, à Tomar comme ailleurs, le premier lieu de culte devait se placer sous les auspices et sous la protection de la divinité terrestre, la Vierge Noire, effigie visible, dans sa transposition religieuse, de la force tellurique.

C'est elle qui sera la gardienne vigilante et muette des secrets qu'on viendra lui confier. Le premier sanctuaire wisigothique s'élève donc sur l'emplacement prédestiné, consacré déjà par les cultes les plus anciens [1]. La chapelle prend le nom de Notre-Dame-des-Oliviers. Plus tard, un couvent bénédictin de quarante-quatre moines l'englobera dans son enceinte.

Une autre chapelle, construite à proximité, fut dédiée à saint Félix, hommage au pape Félix IV, désigné en 526 par Théodoric [2]. De fait, le 12 février, fête de saint Félix, marque l'apparition à l'est, du côté du soleil levant, de la constellation du Bouvier, repère initial de la Tradition wisigothique.

---

1. Certains attribuent la fondation de Tomar aux Turdulos, en 480 av. J.-C.
2. Les fondations de cette chapelle furent mises au jour sur l'emplacement de l'actuel cimetière de Tomar.

Comme pour confirmer encore ce rappel d'initiation nordique, le jour où cette constellation paraît au nord, le 20 octobre, prend place la fête d'une autre sainte de l'époque wisigothique, vénérée au Portugal, santa Iria ou Irène.

On raconte qu'elle fut la victime d'un moine dont elle refusait les avances. En 653, son corps décapité serait arrivé au fil de la rivière jusqu'à Santarem qui lui doit son nom.

Elle devint la protectrice d'un couvent qui fut fondé en sa mémoire à Tomar.

Non loin de Notre-Dame-des-Oliviers se trouvait le domaine seigneurial du noble Gastinaldo et de sa femme Cassia. Des fouilles récentes ont permis de mettre au jour le souterrain qui reliait la maison ducale au couvent de Sainte-Iria en passant par Notre-Dame-des-Oliviers. Des symboles wisigothiques particuliers figurent encore sur les pierres qui soutiennent les parois.

Après la destruction par Libéricus, général de Justinien, des places fortes lusitaniennes, la population wisigothique s'établit dans les campagnes, créant les grandes propriétés rurales dont on retrouve encore les traces de nos jours. L'hérésie d'Arius disparaît officiellement lors du Concile de Tolède, le 6 mai 589.

La domination byzantine ne s'appuie pas sur un pouvoir militaire très fort et c'est un peuple paisible d'agriculteurs et d'éleveurs que trouvent en Lusitanie les envahisseurs arabes dont l'ardeur guerrière ne rencontre qu'une faible résistance.

Il semble qu'entre 716 et février 1159, la région de Tomar soit à peu près déserte. Délaissée pendant plus de quatre siècles de domination arabe, il subsiste à peine quelques ruines et c'est d'un lieu parfaitement déshérité que prennent possession, en 1160, ceux qui s'y établissent.

Mais le soleil et les étoiles gardent leur livre ouvert. Chacun peut y lire et apprendre l'oracle car le ciel est une fresque garnie d'hiéroglyphes qui montrent et signifient tout en cachant.

Il sert d'appui et de source d'espérance à l'homme disposé à l'aventure. Il saura lire le message et y trouver sa nourriture spirituelle sans perdre de vue la présence de l'Invisible actionnant ses diagrammes perfectionnés, avec l'idée que cette coupole étoilée est le langage même du Créateur.

5

UN SAINT BIEN INSPIRE

Quelque 19 périodes de 34 ans après l'implantation wisigothique et 10 périodes de 34 ans après la bataille de Poitiers, donnant le signal du repli arabe vers le sud, une nouvelle vague aux bannières multicolores prend le chemin de la péninsule Ibérique.

Ces nouveaux venus sont fort avisés. Ils partent en Guerre Sainte contre l'Infidèle, suivant la même route que les Barbares Goths maintenant oubliés.

Leur fougue et leur ardeur seront récompensées et, pour certains d'entre eux, la vaillance vaudra une couronne.

Première vague de combattants de la Foi qui franchit les Pyrénées pour lancer des chevaliers accomplis aux armures étincelantes dans ces grandes chevauchées, ces brillantes « algarades » auxquelles les vastes plaines de Castille offrent la toile de fond idéale. Certains iront même en de folles équipées, jusqu'au cœur de l'Andalousie, étancher leur soif d'aventures et donner libre cours à leur ardeur sacrée.

Mais les élans de la foi et l'instinct chevaleresque ne sont pas les seuls motifs qui poussent seigneurs et chevaliers à se lancer dans ces aventureuses audaces. Dans ces époques troublées du haut Moyen Age, un indescriptible désordre règne dans toutes les provinces de l'ancien empire de Charlemagne. Les querelles féodales permanentes, les incursions étrangères, les annexions territoriales, scellées par des alliances politiques ou des unions matrimoniales, se déroulent sans souci de la misère du peuple épuisé par les famines, les épidémies, les violences permanentes et le brigandage, en proie à toutes les affres et toutes les angoisses, y compris la terreur de voir arriver la fin du monde aux approches de l'An Mille.

Pour la noblesse féodale qui se ruine dans ses rivalités et rêve d'un idéal aux contours imprécis, la lutte contre l'Infidèle en Espagne devient la répétition générale de l'épopée prochaine des croisades en Terre sainte.

Eperdument, elle se saisit de ces chances inespérées de tenter la fortune sous de nouveaux horizons où l'on peut donner libre cours à tous ses instincts. Car tous les coups sont permis dans cette lutte contre l'Hérétique qu'on mène au nom de Dieu. Le Pape, le représentant temporel de la Volonté Divine et le dispensateur des indulgences et des absolutions, l'encourage et bientôt la réclame.

L'Eglise, heureuse de pouvoir attacher à son service ce monde turbulent, toujours en effervescence, ne manque aucune occasion d'orienter la fougue belliqueuse des seigneurs féodaux qu'elle canalise ainsi à son profit. Bientôt, elle augmente son effort de propagande et exhorte à la Guerre Sainte.

Par l'entremise des moines clunisiens, elle

s'efforce d'entourer d'alléchantes perspectives l'aide nécessaire aux rois chrétiens de la péninsule Ibérique dans la lutte qu'ils poursuivent contre les Maures. Ces souverains voient donc bientôt arriver une cohue de chevaliers, cédant à l'attrait de l'aventure, à l'espoir d'avantageuses récompenses, à la promesse des indulgences qu'une guerre menée contre les ennemis de la Foi ne peut manquer de valoir.

En cette affaire, une puissante maison seigneuriale d'Occident, la Maison de Bourgogne, continue à jouer un rôle de premier plan. Le mariage d'Alphonse VI, souverain de León et de Castille, avec une princesse bourguignonne avait créé des liens et les seigneurs bourguignons allaient devenir les meilleurs soutiens, en même temps que les principaux bénéficiaires de la croisade quasi permanente que l'on mènera contre les Arabes.

C'est ainsi qu'en récompense de ses faits d'armes, Raymond de Bourgogne devient l'héritier d'Alphonse VI dont il épouse la fille légitime Urruca et qu'Henri de Bourgogne, son cousin, reçoit le comté « Portucalens », dot de Thérèse, une autre princesse royale[1]. Par son mariage, ce descendant des Capétiens devient le fondateur de la première dynastie monarchique portugaise. Son fils, Alphonse-Henrique, sera effectivement le premier souverain d'un nouveau royaume chrétien, arraché aux Infidèles.

Cela n'est pas pour déplaire à saint Bernard dont la personnalité domine alors le monde chrétien.

L'éminent abbé de Clairvaux a de nombreux objectifs et, à côté de l'inlassable activité qu'il

---

1. Fille naturelle d'Alphonse VI.

déploie pour le développement de son ordre monastique, il met tout en œuvre en faveur de l'expansion religieuse et du rayonnement de la Chrétienté dans cette partie de l'Occident.

En trente ans, sous l'impulsion de l'abbé Bernard, l'ordre cistercien prend effectivement un essor spectaculaire. Ses monastères se multiplient dans toute l'Europe.

Bourguignon par sa naissance, saint Bernard maintient ses liens avec ses compatriotes de la Péninsule et met toute son éloquence au service de leur cause, encourageant la lutte contre les Arabes sur ce premier front de la Chrétienté.

Possédant un sens aigu des réalités, il appuie les idées nouvelles qu'il sait indispensables à une génération avide d'un renouveau intellectuel et spirituel.

Animé d'une ardente volonté d'européanisation, d'universalisation, ce diplomate averti, appuie son action sur une vue très vaste et très claire de l'avenir.

C'est dans cette optique qu'il faut sans doute replacer son action en faveur du futur Ordre des Chevaliers du Temple dans lequel il ne voit pas seulement des défenseurs du monde chrétien et des garants de la sécurité des biens monastiques. Mesurant toute l'ampleur de l'initiative et l'intérêt qu'elle présente, il est probablement le seul, à son époque, à pouvoir en pressentir la portée future.

La jeune Milice du Christ, fondée en Terre sainte par neuf chevaliers, n'était en fait que l'instrument de la volonté de saint Bernard pour le compte duquel elle accomplissait une mission particulière.

C'était à ce prix seulement qu'elle devait obtenir l'appui nécessaire pour sa reconnaissance officielle.

Groupés sous la règle de Saint-Augustin, Hugues de Payns, Godefroi de Saint-Omer, André de Montbard[1] Gundomar, Godefron, Roral, Geoffroy Bisol, Nisard de Montdésir et Archambaud de Saint-Aignan, mettent sur pied un ordre de moines-soldats et, pendant près de dix ans, restent au service des rois de Jérusalem, assurant la protection des routes, celle des pèlerins et participant à la lutte contre les Musulmans.

Tout en assumant le rôle qui leur a été officiellement dévolu avec une foi et une ardeur inébranlables, les chevaliers ne perdent pas de vue leur mission secrète.

---

1. Oncle de saint Bernard. Sa mère, Alette de Montbard, avait épousé Técelin, seigneur de Fontaine.

6

UNE IMPORTANTE MISSION

En 1096, c'est un départ massif vers l'Orient.

Urbain II et Pierre l'Ermite ont donné le signal des Croisades et une foule aussi disparate que mal organisée se précipite vers la Terre sainte.

Les véritables forces combattantes ne la rejoignent que deux ans plus tard. Mais c'est en 1118, avec un fait banal en apparence, que le destin provoque le déclenchement de circonstances dont l'enchaînement durera deux siècles.

Bernard de Clairvaux a vu dans le petit groupe choisi qui part alors pour Jérusalem et dont il connaît tous les membres, des émissaires capables de servir ses objectifs.

Dès l'arrivée en Asie Mineure des chefs de la Première Croisade, les rapports avec l'empereur d'Orient, Alexis 1er Comnène, s'étaient révélés difficiles [1].

---

1. Suivant des accords préalablement négociés avec Rome, l'empereur s'était engagé à assurer le ravitaillement des Croisés et leur acheminement vers la Terre sainte. C'est une fois rendus à Constantinople qu'il exigea de leurs chefs la promesse de restituer l'Empire dans tous ses anciens territoires au fur et à mesure qu'ils seraient reconquis aux Turcs.

Malgré le peu de sympathie qu'on leur témoigne dans cette cour byzantine où règnent les fastes et l'étiquette et où, comme le relate l'Alexiade [1], les croisés font figure de « rustres et de barbares », saint Bernard a recommandé à ses émules de nouer des contacts solides.

Clairvaux s'intéresse tout particulièrement, en effet, à cette cour raffinée où les arts et les sciences de tout l'Orient font l'objet d'une curiosité passionnée. La fille d'Alexis, Anne Comnène que l'on dit fort savante et versée dans toutes les sciences anciennes, a réuni autour d'elle tout ce que le monde oriental peut offrir de spécialistes en ces matières occultes. Astrologues, astronomes, savants et érudits trouvent auprès d'elle le meilleur accueil.

Elle prend aussi grand intérêt à s'entretenir d'une idéologie naissante que prônent les neuf chevaliers et leurs disciples qui se distinguent de la cohue cosmopolite des croisés de Terre sainte.

De leur côté, ils ne manquent pas de s'informer de tout ce qui est susceptible d'éclairer les questions auxquelles ils sont venus rechercher ici des réponses que les siècles antérieurs n'ont pu fournir.

Entre-temps, il leur faut prêter main-forte au nouveau roi de Jérusalem, Beaudoin II, que les périls grandissants obligent à combattre Turcs et Arabes sur un front perpétuellement mouvant.

Grâce à la constitution de l'Ordre templier [2], la

---

1. Ouvrage d'Anne Comnène, fille d'Alexis Ier.
2. Il s'est installé dans des bâtiments qui servent de mosquée et sont situés à l'emplacement du Temple de Salomon. C'est ce qui fut probablement à l'origine de leur dénomination de Templiers. La mosquée d'El-Aqsâ qui a été récemment incendiée fut élevée plus tard en ce lieu.

force de la Syrie franque s'accroît considérablement. Une armée permanente est rapidement mise sur pied dont les effectifs dépassent en importance celle que les seigneurs féodaux seraient susceptibles d'enrôler sous leurs bannières.

Leur zèle, leur foi n'ont d'égale que leur incomparable bravoure mais c'est aussi par leur rapide familiarisation avec la guerre musulmane qu'ils rendront d'inappréciables services à la cause franque. Antioche, Edesse, Kharpout, Ascalon, Tyr, Alep sont les premières épopées auxquelles l'Ordre du Temple apporte sa vaillante contribution.

A cela s'ajoute l'organisation méthodique des secours aux pèlerins, aux croisés et même aux Infidèles miséreux qu'ils rencontrent.

Leur renommée grandit et saint Bernard ne manque pas de la soutenir, exaltant leur courage, leur efficience et leur dévouement à la cause de la Chrétienté et à celle du pape. C'est ainsi qu'en 1126, avant même que l'Ordre ne soit officiellement constitué, leur notoriété est déjà grande et, en péninsule Ibérique, l'espoir de s'arracher leur concours incite Thérèse, veuve d'Henri de Bourgogne, sans doute à l'instigation de l'abbé Bernard, à offrir à Hugues de Payns un château en Portugal.

Peu après le Concile de Troyes, en 1128, l'Ordre devient également bénéficiaire du « château et de l'honneur de Soure sur le fleuve Mandego ». Cette donation est, avec la précédente, le point de départ de l'implantation templière au Portugal et son importance, considérable pour l'Ordre lui-même, sert en même temps les intérêts cisterciens et les vues les plus secrètes de l'abbé bourguignon.

L'Or des Templiers

On sait depuis longtemps, à Clairvaux, que les Frères de l'Aumône[1] — qui formeront plus tard l'Ordre des Antonins — détiennent un important secret.

Celui-ci semble avoir été ramené de Constantinople quelque cinquante ans plus tôt, en même temps que les reliques de saint Antoine, l'ermite du désert égyptien. On pense qu'ils tiennent ce secret des Coptes qui se disent les héritiers de certaines traditions égyptiennes et affirment détenir de précieux renseignements, recueillis auprès des Arabes qui avaient été les premiers profanateurs de la Pyramide de Khéops, au temps d'Haroun al-Rachid.

Mais les futurs Antonins peuvent aussi bien l'avoir recueilli auprès de la cour byzantine elle-même qui leur fit don des reliques de saint Antoine en récompense de l'aide apportée par les gentilshommes dauphinois dans un coup de main contre l'ennemi.

Les émissaires de saint Bernard ont donc tout intérêt à entretenir de courtoises relations avec cette cour même lorsque les circonstances politiques et diplomatiques n'y semblent pas précisément propices.

Par ailleurs, malgré la lutte que l'on poursuit en Palestine, des sympathies ont pu se faire jour et des relations cordiales se nouer entre certains souverains islamiques et des seigneurs francs ou les membres de divers ordres.

---

1. Les Frères de l'Aumône dont l'inspirateur fut saint Barnard, évêque de Romans, devaient plus tard édifier la cathédrale de Saint-Antoine. Cf. *Falicon, Pyramide Templière*, 3 rue Paul Doumer 06 Beaulieu-sur-Mer, où l'auteur développe l'historique de cet ordre.

La Syrie franque est avec Alep le point de rencontre de tout l'Orient. Les « latins » y côtoient le monde byzantin, les Turcs, les Arabes, les Egyptiens, et même des Mongols. Les Templiers ne vont pas manquer d'y trouver l'opportunité d'élargir leurs connaissances et de compléter leurs informations.

Car les sources orientales n'ont pas encore été réellement sondées par l'Occident. Elles sont d'un intérêt capital, susceptibles de fournir la réponse aux questions qui se posent et que la théologie orthodoxe n'éclaire que d'un jour trop étroit.

Les éléments ont été recueillis partout où cela était possible; auprès des Byzantins, des Musulmans, des Turcs, des Coptes et même auprès de certains représentants des sectes soufies, les Haschichins — dont la déformation a donné les Assassins — d'initiation ismaélienne. Leur habit blanc à bandelettes rouges a pu inspirer le choix vestimentaire de l'Ordre templier.

Aux sources nouvelles viennent s'ajouter les nouveaux outils d'investigation intellectuelle empruntés aux Arabes : astronomie, algèbre, géométrie, trigonométrie, une nouvelle numération et aussi l'alchimie, mère de la chimie moderne.

Les chercheurs ont maintenant la possibilité d'entreprendre la synthèse de la quasi totalité du Savoir Ancien rapporté d'Orient, en y intégrant la cosmogonie celtique dont saint Bernard était censé connaître les traditions puisqu'il fut, dit-on, Druide des Gaules [1].

Ce sont ces études qui permirent aux initiés de

---

1. D'après Guénon.

l'époque d'orienter les destinées de l'Europe en élargissant les limites des horizons ouverts.

L'abbé de Clairvaux, dans sa vision prémonitoire, pressentait que les religions païennes devaient posséder une notion plus ou moins précise et profonde du Sacré. Il savait qu'il devait être possible d'en tirer une synthèse profitable en fonction d'une tradition initiale.

7

DANS LE SECRET DES COUVENTS

Neuf ans ont passé quand, en 1127, les chevaliers du Temple rapportent de Palestine les messages de Beaudoin II.

Le premier doit être remis à Rome au pape Honorius que Beaudoin prie instamment de promulguer une seconde Croisade pour soutenir le royaume de Jérusalem menacé de toutes parts.

Bernard de Clairvaux est le destinataire d'un second message par lequel le souverain franc sollicite son intervention auprès du pape afin que l'on reconnaisse d'urgence le nouvel Ordre et qu'on l'aide à se maintenir au service du royaume de Jérusalem.

C'est demander à l'éminent abbé de provoquer la réunion immédiate d'un concile dotant l'Ordre de la Milice du Christ des statuts nécessaires à son action et lui permettant de procéder sans retard au recrutement de ses effectifs à travers tout l'Occident chrétien.

Les choses doivent aller très vite et saint Bernard les précipite. Il préside lui-même le Concile de

Troyes qui se réunit à cet effet dès le 14 janvier 1128.

Quant aux informations rapportées d'Orient par les neuf chevaliers, elles formeront la base de certaines études monastiques secrètes.

A l'instar des Bénédictins des VIIIᵉ et IXᵉ siècles, les Cisterciens ont remis à l'honneur la règle du travail manuel. Ils contribuent non seulement à la remise en valeur de tout le domaine rural européen mais encore à favoriser de leur mieux l'éclosion artistique.

Cette mission éducative cistercienne aura atteint son but et portera ses fruits quand commenceront à s'élever les magnifiques cathédrales gothiques qui ont fait la gloire de ce siècle prestigieux.

Le spectaculaire développement de l'ordre monastique cistercien à travers l'Europe ne semble avoir été qu'un premier pas, religieux et spirituel, dans une voie que les Templiers, fils de saint Bernard, ne manqueront pas de suivre : celle d'une Europe unie, tant sur le plan religieux — sous la suprématie de l'Eglise romaine — que sur le plan social et économique, ce qui n'est guère moins que révolutionnaire pour l'époque.

Nous verrons par la suite jusqu'à quel point de perfection furent menées, dans les divers détails, les applications de la nouvelle cosmogonie qui s'élabora avec le constant souci de demeurer dans le respect de l'image d'un Tout universalisé.

Ce qui n'excluait pas les dogmes de l'Eglise chrétienne mais, bien au contraire, les incorporait dans un ensemble à la fois plus vaste et plus précis.

Les Cisterciens cloîtrés savent donc bientôt beaucoup de choses mais ils entendent rester dans la plus parfaite orthodoxie vis-à-vis de l'Eglise et de ses dogmes. Peut-être craignent-ils aussi d'être mal compris! Du reste, l'action elle-même n'est pas leur vocation. Ils se contenteront de donner les directives ésotériques à ceux qui seront chargés de la mission séculière : les Templiers.

Sans doute ceux-ci s'y conformeront-ils étroitement au début, mais au cours des temps, ils transgresseront les limites prescrites et oublieront quelque peu la vocation initiale de leur Ordre.

Il est vrai que leur rapide évolution leur permet de disposer bientôt de leurs propres équipes de chercheurs et sans doute veulent-ils s'émanciper d'une tutelle devenue inopportune pour s'attribuer le bénéfice d'une queste solitaire dont ils assument tous les risques.

La nouvelle théorie cosmogonique ne s'inspire plus des antiques bases de la Tradition phénicienne mais d'une donnée nouvelle, déterminant un angle de 34 degrés, issu du rapport de deux sur trois.

L'application pratique de ce principe entraîne la révision des projections symboliques et tout ce qui peut en découler, notamment et, en tout premier lieu, l'œuvre architecturale.

A cela vient s'ajouter un secret d'ordre dogmatique. Les chevaliers du Temple n'ont pas ramené l'Arche d'Alliance ni retrouvé les Tables authentiques de la Loi. Mais, au Décalogue de Moïse, promulgué par l'Eglise, ils adjoignent un Onzième Commandement que confirme leur Nombre Symbolique exotérique 11 — Onze[1] : « Les biens de la terre appartiennent à tous sans être à personne en particulier. » Commandement révolutionnaire certes, aussi, pour l'époque, mais conforme à la mystique des fondateurs de l'Ordre des « Pauvres chevaliers du Christ » dont chaque membre a fait vœu de ne rien posséder.

Le total dépouillement de chacun n'empêche pas l'Ordre lui-même de posséder ses biens propres. Ceux-ci sont destinés à aider les pèlerins sur les routes de Jérusalem et de Compostelle et à accomplir une mission sociale toute à l'honneur de ses promoteurs.

C'est replacer le matérialisme au service de la communauté, de la spiritualité.

En cela, on peut considérer que l'œuvre des Templiers peut s'inscrire dans la tradition des grandes philosophies à valeur universelle. Mais dans cette chaîne perpétuelle dont elle se voulait un maillon parfait, elle était trop prématurée, semble-t-il. Brusquement, elle subit un imprévisible destin, comme si une malédiction s'était abattue sur elle.

---

1. Onze ou 11, symbole du cercle + 1, le centre imaginaire primordial.

8

LE CHEVALIER GUALDIM

1156 marque le retour de Terre sainte d'un personnage qui est déjà un héros national de la terre portugaise et qui, après sa mort appartiendra à la légende.

Gualdim Païs est né à Bragance mais ses origines sont assez imprécises. Il est élevé au monastère Sainte-Croix de Coimbra et on le retrouve très tôt au service du futur roi, Alphonse-Henrique, qu'il assiste avec ses frères d'armes, les chevaliers Mem Remires et Martin Monis, dans toutes les batailles qu'il faut livrer aux Maures pour la conquête du royaume. Il s'illustre à la prise de Santarem en 1147, puis à celle de Lisbonne, en 1149, avant de s'embarquer pour la Palestine où il participe au Siège de Gaza en 1153.

Son allure et sa prestance de guerrier et de chef rehaussent encore le prestige que lui valent ses remarquables qualités de combattant et d'organisateur. Le séjour en Orient est venu parfaire une expérience militaire déjà confirmée et quand il revient de Croisade, il sait quelle est la mission qui l'attend. Sa nomination au grade de Grand Maître provincial de l'Ordre templier au Portugal ne tarde d'ailleurs guère à la confirmer officiellement.

Quelques années plus tôt, tandis qu'Alphonse-Henrique se préparait à livrer la fameuse bataille de Santarem, saint Bernard lui fait savoir qu'en songe, il a vu la Sainte Vierge lui révéler la victoire du Roi.

Alphonse-Henrique fait aussitôt vœu d'offrir à Clairvaux les terres et les subsides nécessaires à la construction d'une vaste abbaye s'il remporte cette victoire décisive. Exaucé, le Roi tient sa promesse et saint Bernard se rend en personne à Alcobaça, accompagné de cinq moines-architectes chargés de délimiter les terrains nécessaires à la Fondation dont le jeune souverain pose lui-même la première pierre.

Mais l'implantation d'un monastère en territoire avancé nécessite une sérieuse protection militaire et l'on confie celle-ci aux Templiers qui possèdent déjà quelques châteaux dans la région. Toutefois, la construction de l'abbaye d'Alcobaça ne pourra être entreprise que lorsque la complète sécurité pourra être garantie aux biens cisterciens.

L'Ordre templier reçoit alors d'Alphonse-Henrique donation de toutes les terres situées entre Santarem et Tomar. Gualdim Païs est chargé d'élaborer la ceinture défensive qui entoure les biens de Clairvaux en même temps qu'elle renforce la protection des lignes portugaises face aux incursions arabes.

C'est Tomar qui en formera la clé stratégique, permettant à la fois de parer à toute attaque de flanc depuis la toute proche frontière andalouse et de surveiller la route de Coimbra, l'artère vitale du

Les tours d'Almoral.
Depuis huit cents ans,
le château d'Almoral
est le vigilant gardien du Tage.
(Ph. coll. de l'auteur.)

Saint-Antoine-l'Abbaye. — Les Romains fréquentaient cette source miraculeuse, jaillie dans une crypte bien avant que ne fût tracé ce « TAU » significatif d'une tradition ancienne.
(Ph. H. Chrétien.)

La tour du
Tonnerre à
Falicon.
(Ph. H. Chrétien.)

Gulséhir près
de Goreme,
Anatolie. —
Le colombier de
la Tour du
Tonnerre
n'est-il pas la
répétition rituelle
du columbarium
de Gulséhir?
(Ph. Gilbert
Tapa.)

Pilier wisigoth de Rennes-le-Château. (Ph. Jeangérard.)

Pierre wisigothe. Musée lapidaire de Tomar. — Si l'inspiration décorative n'est pas identique, les croix sont les mêmes et les grappes de raisin demeurent. (Ph. Béatrice Lanne.)

Dessin du tableau du château de Valcrose près de Trigance. « Le Saint et Vérité
te montreront le chemin. » Saint Augustin brandissant le cœur enflammé. Les zones
blanches, en bas à gauche, sont produites par les déchirures de la toile. (Dessin de
l'auteur.)

Baphomet de Saint-Bris-le-Vineux. (Ph. Phéliphot., Auxerre.)

Diable de la Tour du Tonnerre de Falicon. (Ph. H. Chrétien.)

A droite : le rocher du repaire de l'aigle, sur le mont Chauve, à proximité de Nice. La tête de lion située au milieu de la partie supérieure est très abimée. Plus à droite : la tête de l'aigle. Le rocher a la forme du corps de l'oiseau, les ailes déployées. Sous le bec de l'aigle, une pierre taillée en forme de tête d'homme. En bas : on distingue l'entrée du souterrain. (Ph. H. Chrétien.)

Le dieu solaire de la pyramide de Falicon. Cet énorme visage est le pilier de la grotte souterraine située sous la pyramide. Les corrections astronomiques faites par rapport au seuil de l'entrée ont entraîné de nouvelles superpositions physionomiques.
(Ph. H. Chrétien.)

Royaume. Le 1ᵉʳ mars 1160, Gualdim Païs entreprend la construction de la forteresse de Tomar, renforcée un peu plus tard, en 1171, par le château d'Almourol édifié au milieu du Tage et celui de

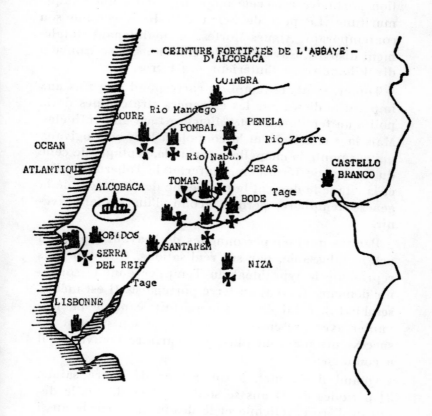

Le château de Soure était édifié antérieurement et fut, en 1128, offert par la Reine Thérésa à Hugues de Paynes et à la Milice du Christ

Bode, sur le rio Zézère, deux bastions avancés de surveillance des eaux et du territoire. La protection est complétée par les châteaux de Pombal, Pénéla, Castelo Branco, Idanha, Marsanto et Cera.

A proximité d'Obidos, reconquise dès 1148, un bastion portuaire est érigé pour prévenir toute attaque maritime. Le port de Serra d'El Reis, comme son contemporain Aigues-Mortes, a maintenant totalement disparu. Envahi par les alluvions, il se trouve à dix kilomètres à l'intérieur des terres.

Tomar, symbole templier, correspond à la fois aux impératifs dictés par les exigences stratégiques de la politique territoriale et religieuse face aux Infidèles. Mais la « charola » et la coupole à huit arcs ogivaux qui surmonte la chapelle octogonale, réplique de celle du Rocher de Jérusalem, renferme le Tabernacle d'or et la citadelle devient la gardienne des mystères de la genèse templière, germe fécond d'un brillant avenir.

Par ses qualités personnelles de bravoure, par son action inlassable, par ses réalisations, Gualdim Païs représente le type idéal du Templier dont le souvenir demeure fervent en terre portugaise. Il est même, semble-t-il, celui de l'initié parfait, capable de travailler avec prescience à l'avenir de son pays et ses successeurs n'auront plus qu'à parfaire l'œuvre qu'il a commencée.

Quand il s'y met, à son retour de Terre sainte, 34 périodes de 34 ans se sont écoulées depuis le début de l'ère chrétienne et le destin lui accorde aussi 34 ans pour accomplir ce qui lui a été personnellement dévolu. Le sait-il? Ses voyages ont enrichi ses connaissances astronomiques et sa formation templière le conduit à reprendre des jalons confirmés avant de le pousser à mûrir des projets plus lointains.

Lors de la construction du château de Tomar, les pierres romaines portant des inscriptions sont utilisées mais elles sont placées sur champ afin de bien les distinguer des inscriptions nouvelles. Un souterrain est creusé depuis le château reliant celui-ci à la chapelle de Notre-Dame-des-Oliviers. L'entrée et la sortie sont marquées par des puits, aujourd'hui en partie comblés. Un aqueduc, ouvrage colossal, conduit l'eau au château depuis Pegoes.

Face au mirador, une église est construite qui porte le nom traditionnel de Saint-Jean-Baptiste — position du soleil au solstice — et au non moins traditionnel clocher octogonal.

Un bas-relief sculpté se voit sur la façade. De chaque côté d'un motif central, deux animaux de taille différente se font face. Le plus grand représente un chien, indiquant la constellation du Grand Chien dont l'étoile principale est Sirius ou Sothys. L'autre, un lion, se rapporte à la constellation du même nom avec son étoile Régulus. Quant à la figure centrale, il s'agit d'une coupe stylisée renvoyant à la constellation de la Coupe. L'angle qui part de ce centre est celui de 34 degrés, identique à celui que forme la constellation.

A droite du bas-relief, à proximité, une lourde pierre à tête de sphinx déborde largement et rappelle qu'il convient de s'adresser à lui pour comprendre la signification de la plaque.

On y retrouve, bien sûr, toutes les indications nécessaires et même davantage [1].

La constellation du Lion forme avec celle de la Coupe et l'étoile Sirius du Grand Chien un angle de 34 degrés au minuit vrai, le 20 janvier. Cette date correspond à la fête de saint Sébastien, l'un des saints patrons templiers [2]. Nombre de constructions templières lui ont été dédiées et, en France, près des « bastides » ou bastions templiers, subsiste souvent un sanctuaire qui lui est consacré. La même tradition se retrouve au Portugal où, à proximité des châteaux forts, on rencontre de même un village ou un hameau du nom de Sao Sebastiao. C'est le cas notamment à Tomar, Pénéla, Ourem, etc.

La majestueuse statue de Gualdim qui fut érigée en 1960 à l'occasion du huitième centenaire de la fondation templière, fait face au portail de saint Jean-Baptiste et à son sphinx énigmatique. Mais, par-delà, son regard suit la direction du souterrain qui descend du château vers la rivière Naboa.

La preuve du savoir du fameux templier ne serait pourtant pas complète si l'on ne soulignait qu'en plaçant son point d'aboutissement à Tomar, en ce lieu près de la mer — au delà de laquelle il espère déjà peut-être pouvoir le reporter — il ne fait que reprendre des traditions antérieures, celtes et wisigothiques.

Mais ces aboutissements cisterciens et templiers

---

1. Le rappel de l'angle de 40 degrés issu de la division du cercle en neuf, appelé « Patte d'Oie ».
2. Milicien romain qui avant d'être décapité subit le supplice d'être transpercé de flèches.

n'auraient pas été réalisables sans les éléments de connaissance recueillis auprès de ces Infidèles arabes contre lesquels tous ont conjugué leurs efforts.

Tout comme les précédents, les Arabes n'ont fait que reporter d'est en ouest et selon une ligne parallèle, les mêmes traditions. Le sens de l'écriture adopté par les uns et par les autres confirme du reste les modalités différentes d'un processus identique.

L'Européen qui regarde vers le sud écrit dans le sens de la marche du soleil tandis que l'Arabe, regardant le nord, trace ses signes en sens inverse pour reproduire la même marche solaire.

Les Wisigoths, puis les Templiers, ont porté vers la France et la péninsule Ibérique la connaissance fluidique. Les Arabes ont apporté en ces mêmes points la connaissance alchimique, complément de la première.

Leur fusion, sous le ciel de la vieille Europe de l'Ouest, n'est possible de façon naturelle qu'en des temps privilégiés.

D'autres temps viendront qui permettront à d'autres lieux [1], plus éloignés, de posséder ces privilèges. De nouvelles matières, de nouvelles connaissances viendront les remplacer qui auront besoin, à leur tour, d'un complément indispensable. Opposés par leur origine, ils seront encore complémentaires dans leur essence.

---

1. Le 2 décembre 1942 la première pile atomique était mise en service à l'université de Chicago. Pie XII avait placé l'année 1942 sous le patronage d'Albert le Grand béatifié en 1652, mort en 1280. Depuis cette date 39 (3 × 13) périodes de dix-sept ans s'étaient écoulées.

L'Or des Templiers

Pour son renouveau, la Tradition solaire européenne avait besoin de l'apport du croissant lunaire avec lequel elle pourra se parfaire comme il en va pour toute alchimie complète.

Et tout reste fonction de temps et de cycles.

9

LES ROUTES DU TAURUS

Tout comme les Templiers se sont dirigés vers l'est avant de revenir vers Saint-Jacques-de-Compostelle et le Portugal, les Arabes ont d'abord cherché leur route du Taurus[1], du Tau-aureus, vers l'Inde et la Perse. Puis, regagnant l'Ouest par l'Afrique du Nord, ils remontèrent verticalement à travers l'Espagne vers la France. Pendant plusieurs siècles, ils se maintiennent à l'extrémité des veines telluriques qui sillonnent cette partie de l'Europe : à Faro, en Algarve, au sud du Portugal, sur la ligne qui part de Compostelle et passe par Tomar; à Burgos sur la ligne médiane qui rejoint Tolède et Grenade; à Alicante sur la veine de Saragosse.

Ces lignes telluriques correspondent, au 21 mars, à la position des constellations de la Vierge, du Lion et du Grand Chien.

Le 21 juin, c'est Hercule, au sud, qui indique la

---

1. Le Taurus est l'immense massif montagneux qui sépare l'Asie antérieure de la Méditerranée. Il était et reste encore réputé pour ses gisements métallifères, extrêmement importants.

direction du passage de Gibraltar, les « Colonnes
d'Hercule » des Grecs.

Astronomes très évolués, les Arabes étaient les
continuateurs des travaux grecs et alexandrins qu'ils
perfectionnèrent. Leurs connaissances les rendaient
parfaitement aptes à répondre aux messages d'une
voûte céleste qui les guidait suivant leurs besoins et

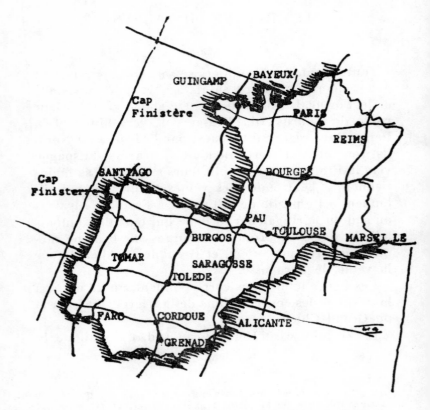

Les veines telluriques sur la France et la péninsule Ibérique

leurs aspirations. Mais Arcturus, l'étoile wisigothique, leur fut fatale lorsqu'ils atteignirent les régions ouest de la France.

Sur la veine de l'ouest, longeant l'Estrémadure, Gualdim Païs édifia le château d'Almourol, prolongement défensif de Tomar. A partir de cette tête de pont, deux itinéraires prennent une importance prépondérante, le second surtout, dans le sujet qui nous intéresse.

La première route double le chemin du pèlerinage occidental de la chrétienté — Compostelle — permettant la protection des fondations monastiques nouvelles, clunisiennes et cisterciennes. Elle est jalonnée d'églises au clocher octogonal et conduit de Tomar jusqu'au sanctuaire de la Vierge Noire de Montserrat, en passant par San Esteban de Gormaz, Soria et Saragosse.

La seconde route templière part également de Tomar en suivant les veines fluidiques qui traversent l'Espagne. Son tracé passe à proximité des fiefs sarrasins, dénotant son objectif militaire de ligne d'avant-garde sur le front maure. Mais il souligne également le caractère intuitif et sensible d'un parcours respectant les veines telluriques sous-jacentes.

Certaines de ses étapes rappellent les coutumes et particularités du chemin : « Agua de Todos Anhos », la colline du Moine, les Moines blancs, Castelo Branco, le château blanc, etc.

Après avoir franchi l'actuelle frontière, la route continue sur Torrejoncilla, Talavera de la Rena, Torrejos, Tolède, Tarancon, Teruel. Elle rejoint alors la veine tellurique axiale et remonte par Tortosa,

Tarragone, Tarassa, Tarego pour pénétrer en France jusqu'à Tolosa — Toulouse [1] — après avoir traversé le Razès en passant par Rennes-le-Château, l'ancienne capitale wisigothique.

En ce milieu du XII° siècle plusieurs commanderies templières existent dans la région qui, par ailleurs, est le centre de l'hérésie cathare.

Les seigneurs du Bézu, imprenable bastion qui se dresse sur un piton rocheux surplombant la route templière, frappent monnaie sans que l'on sache d'où provient l'or qu'ils utilisent. Une légende subsiste cependant qui raconte qu'au pied de la citadelle il est « un puits rempli de clochettes d'or ».

A moins d'une lieue de là, vers le nord, se trouvent les commanderies templières de la Coume Sourde et de l'Ermitage. Elles aussi battent monnaie.

On sait que les Templiers ont repris l'exploitation de quelques mines ouvertes jadis par les Romains. Ils ont même fait venir de Germanie des mineurs et fondeurs qui travaillent dans le secret, formant une colonie isolée et étroitement surveillée [2].

Mais les mines peuvent-elles fournir tout l'or nécessaire? C'est peu probable, puisque les Romains eux-mêmes en abandonnèrent rapidement l'exploitation ayant jugé les veines aurifères par trop insuffisantes. Le métal a donc une autre provenance et l'on

---

1. Il est remarquable que les noms de toutes ces villes commencent par la lettre T, le Tau, comme le Tau-aureus, le « signe » ou la voie de l'or. A l'ouest la route aboutit à Tomar, le signe vers la mer.

2. Par une curieuse coïncidence, les Templiers font travailler ces Germains en un lieu dénommé « Les Charbonnières » tandis qu'au Portugal, le port de Serra d'El Reis se situe au « Cap des Charbonniers » dont nous reparlerons.

74

fondra plutôt les lingots et l'orfèvrerie du dépôt wisigothique qui se trouve enfoui sur des terres faisant maintenant partie du fief de Bertrand de Blanchefort, élu Grand Maître de l'Ordre du Temple en 1153. Il est le sixième du rang tandis que Gualdim Païs devient, peu après, sixième Grand Maître provincial.

La voie qui joint Tomar et Rennes-le-Château relie les deux dépôts wisigothiques. Elle suit exactement la route empruntée par les Wisigoths sept siècles plus tôt.

Deux siècles auparavant, la Chrétienté, sous l'égide des Bénédictins, avait déjà tracé sa route vers l'ouest. Elle conduisait à Saint-Jacques-de-Compostelle, vers le Cap Finisterre de Galice où des Celtes les avaient précédés deux mille ans plus tôt tandis que d'autres Celtes s'installaient dans cette autre « fin de terre » à la pointe de la Gaule.

A Compostelle, point sacré et sacralisé, intuitivement ou sciemment, les Arabes avaient su déceler la puissance du lieu et réaliser les applications d'une connaissance dont ils étaient les promoteurs : celle de l'alchimie et la transmutation de l'or et de l'argent.

C'est là que les premiers pèlerins chrétiens avaient trouvé un florissant artisanat de Tradition arabe, celle des plats d'or et d'argent que décorent encore aujourd'hui les mêmes entrelacs mauresques.

Les aspirations religieuses et les élans de la foi n'excluaient pas l'attirance occulte qui faisait prendre le bourdon de pèlerin à des esprits curieux, partant à la recherche de contacts intellectuels et d'enrichissants échanges entre les traditions d'Orient et d'Occident. De nombreux Juifs, commerçants et changeurs, mais aussi des ésotéristes, des kabbalistes, venaient examiner les nouvelles théories à confronter aux leurs.

C'est sur le chemin de Compostelle que Nicolas Flamel, l'alchimiste français, rencontra le compagnon juif qui fut à l'origine de son initiation et de sa réussite fameuse.

C'est à Compostelle, en effet, que les Arabes avaient déposé le ferment de leurs connaissances alchimiques.

C'est là, près du portail des Platerías de Saint-Jacques, qui depuis neuf siècles garde gravé dans ses pierres les secrets d'un savoir et les clés d'une connaissance, que les « argotiques » médiévaux étaient venus les chercher pour les compléter.

Reprenant leur cosmogonie, les Templiers sauront déplacer le « point » pour le reporter plus au sud, vers le Portugal, vers Tomar.

Il ne sera plus question de plats d'argent mais de tabernacles d'or qui dormiront sous la Charola, la Roue, du sommeil de l'exil.

Le Grand Chariot s'est déplacé, la roue a tourné et les clochettes d'or tintent au fond de puits les soirs de septembre et la nuit de Noël.

10

SECRETS MONASTIQUES ET TEMPLIERS

La recherche d'un endroit privilégié, lieu élu, prédestiné par sa position géographique, par ses propriétés naturelles et hydrographiques, mais surtout par la force même de son sol, a conduit l'homme à entreprendre parfois de lointaines épopées. Il partait à la découverte d'une terre promise, temporaire peut-être, d'un point de la vieille Europe qui présentât une liaison cosmique bienfaisante pour lui-même et ses semblables, un site de communication intense, continue, de félicité, correspondant au quantum harmonique d'une cosmogonie et d'une évolution. Recherche? Intuition? Sensibilité consciente ou inconsciente? Perception parfaite d'un « lien » de mise en phase pour un temps, pour un monde et pour un idéal.

Que tout corresponde aux aspirations ésotériques, mystiques et utilitaires et l'endroit sera celui qui « est ».

Choix, déterminisme ou hasard?

Les Bénédictins dans leur zèle de propagation religieuse préparèrent le chemin des pèlerinages et parvinrent à l'aboutissement de leur idéal mystique : Saint-Jacques.

Les Cisterciens, ayant déterminé une nouvelle cosmogonie d'expansion européenne ont dû préparer, par leur implantation, l'évolution future et faire en sorte que cette évolution ne déborde pas les principes définis à l'origine, tout en présentant un progrès, l'amorce d'un nouvel élan monastique, religieux, architectural, politique et social.

Quelles lois cachées ont régi ces dispositions et cette prise de conscience ? Et surtout quels principes fondamentaux ont-ils décidé des lieux où devaient naître les grands courants religieux ?

A notre idée ces principes reposent sur les bases analytiques d'une harmonie universelle et non temporelle, d'un équilibre intime entre les reliefs d'un sol, son hydrographie, sa végétation, entre les forces telluriques et cosmiques et entre la marche des planètes et des étoiles.

Principes d'une communion profonde existant entre le Cosmos et la Création, entre le Cercle symbolique du Tout et le Carré de la Création terrestre [1].

Nous établirons donc une comparaison géométrique entre divers points d'implantation monastique sur la France.

Suivant un tracé qui prend Bourges comme centre, nous reportons la position des levers de soleil aux deux solstices [2].

---

1. Une sorte de « quadrature » du cercle et de deux carrés de même périmètre ou de même surface, rapport intime recherchant la perfection arbitraire. Cf. chapitre p. 207, « Don Manuel le Fortuné ».
2. Les deux solstices subissent un décalage par rapport à l'axe horizontal.

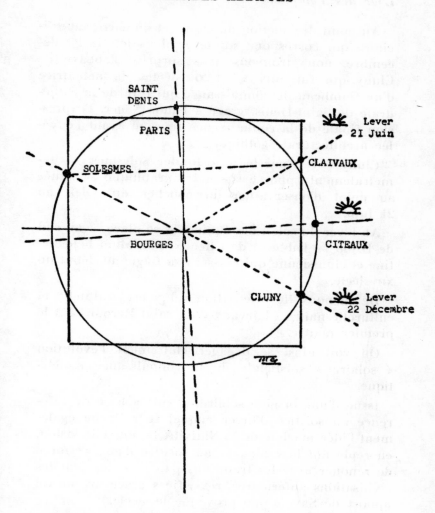

Implantation des Abbayes bénédictines et cisterciennes.
Chacune correspond à un lever de soleil solsticial ou équinoxial.
Intuition, Hasard ou Savoir?

Au point de jonction du cercle et du carré superficiaire qui correspond au lever de soleil le 22 décembre, nous trouvons avec surprise l'abbaye de Cluny qui fut, aux xᵉ et xıᵉ siècles, la détentrice d'un flambeau de connaissance qui fera de la cathédrale de Saint-Denis, grâce à l'abbé Suger, l'expression finale de la connaissance romane avant l'envolée architecturale gothique.

Cluny devait par la suite fonder Solesmes — diamétralement opposée sur notre graphique — située au point d'observation du coucher du soleil au 21 juin.

Au lever du soleil des équinoxes se place — au sud de Dijon — l'abbaye de Cîteaux, fondation bénédictine et clunisienne qui révisera sa Règle au début du xııᵉ siècle.

De sa nouvelle orientation religieuse, cultuelle et culturelle naîtra Clairvaux dont saint Bernard fut le premier maître.

On voit ainsi se dégager clairement l'évolution « solaire » solsticiale de la connaissance monastique.

Issue d'une origine solaire, ayant sa base de référence au solstice d'hiver auquel se rattache également l'idée mariale de la Nativité, la nouvelle vision, en replaçant le « Signe » au solstice d'été, s'efforce de renouer avec les traditions païennes des grandes civilisations antérieures, revivifiées grâce au nouvel apport de Savoir que provoque le siècle.

Il devient ainsi plus facile de comprendre pourquoi Clairvaux fut choisi par les Cisterciens initiés.

Par sa position « cosmique » au solstice d'été, il

répondait mieux aux nécessités d'une réorganisation totale à tendance européenne dans l'optique d'une « sacralisation » solaire solsticiale.

Des moyens magico-terrestres étaient ainsi mis au service de cette cosmogonie équilibrée en tout point. La synthèse sera Notre-Dame-de-Paris.

La ligne qui sur notre graphique passe par Aurillac marque la séparation entre le gothique du Nord et le gothique du Midi.

Il semble donc assez clair que les implantations monastiques initiales et les implantations issues de l'évolution ultérieure ne soient, ni les unes ni les autres, le fait d'un hasard.

Elles résultent bien d'un choix clairement élaboré, déterminé selon des positions astronomiques.

Les Templiers, héritiers de la connaissance monastique n'ont pas divergé de ces principes essentiels.

A partir de 1130, calmement, l'Ordre templier prend son essor et entreprend à son tour ses premières réalisations architecturales. Comme pour les implantations monastiques, elles portent l'empreinte d'une volonté bien arrêtée et la marque d'une connaissance relevant des lois ésotériques qui ont été confirmées.

Souvent, aussi, il y a la superposition de ces implantations sur celles de prédécesseurs d'une autre époque, d'une autre civilisation, plus spécialement celtique et wisigothique. C'est la preuve même que la synthèse a bien été faite en accord avec les rayonnements telluriques, en tenant compte aussi des nouvelles déductions gastronomiques.

Rapidement commanderies, baileries, vont apparaître en divers points d'Europe et l'on ne manquera jamais d'y édifier en premier lieu une chapelle qui s'élèvera au point « fort » du lieu et suivant une orientation précise.

En Orient, c'est la réalisation de la Coupole du Rocher de Jérusalem puis, en France, l'Octogone à crypte de Montmorillon, la chapelle des Templiers de Laon et le grand ensemble que formera le Temple de Paris, au delà de l'enceinte fortifiée de Philippe Auguste.

Tout cela confirme le rapide accroissement des richesses de l'Ordre. Donations et subsides affluent de toutes parts. Chacun se fait devoir d'aider les Miliciens du Christ et participe selon ses moyens à l'action militante qu'ils poursuivent sans relâche pour la sécurité et l'expansion du monde chrétien.

Les nouvelles recrues apportent à l'Ordre leur fortune, quelques-unes même princières et l'on verra, dans l'esprit de dévotion qui prévaut à l'époque, Alphonse Ier, roi de Navarre et d'Aragon, envisager de faire don de son royaume aux Templiers et aux Hospitaliers.

Le développement territorial oblige le Grand Maître à subdiviser l'Europe en neuf provinces. Paris sera le chef de l'Ordre. Les trois provinces principales seront le Portugal, l'Angleterre et la Vieille Castille.

Tandis que les Templiers édifient à Paris la première réplique de la Coupole octogonale de Jérusalem, les Hospitaliers sont chargés de bâtir celle de Londres. Quant à Tomar, bien que l'Ordre soit introduit en Portugal dès 1126, elle n'aura la sienne qu'en

1160, placée dans l'enceinte de la place forte édifiée par Gualdim Païs, à l'intérieur d'un puissant donjon.

Suivant les règles traditionnelles des constructions templières, les chapelles octogonales comportent toutes, en sous-œuvre, une chapelle inférieure utilisée comme ossuaire. Cela ne concerne pas les chapelles des commanderies dont les particularités architecturales ne sont destinées qu'à s'harmoniser avec les noms des commanderies et les lieux d'implantation. C'est le cas, par exemple, de la chapelle de Maurepas [1], le « Seuil Noir ». A l'entrée de la commanderie, on voit en effet une grande pierre noire tandis que la tour octogonale de la chapelle, suivant une position solaire au 21 juin et des repères typiquement templiers, on retrouve une autre pierre noire, placée en dédicace visible au solstice d'été.

Dans certaines églises et principalement dans celle de Gisors, dédiée à saint Gervais et saint Protais — ce qui en fait une église « alchimique » — de même que dans la cathédrale de Soissons, intitulée « Saint-Gervais et Saint-Protais après Notre-Dame », les messages indicatifs sont plus précis.

A Gisors, le grand pilier octogonal, situé à droite de l'entrée méridionale, porte des motifs rappelant la coquille Saint-Jacques avec onze cannelures au-dessus de divers signes révélateurs, parmi lesquels les symboles ISIX et MARIX, alliant par une similitude revoilée Isis et Marie, les divinités féminines des croyances égyptiennes et chrétiennes mais cachant une clé numérique qui ne se retrouve que

---

1. Près de Trappes (78).

par les combinaisons onomantiques des lettres[1]. Les autres éléments concernent des révélations symboliques que l'on n'est pas autrement surpris de retrouver à Soissons, à Compostelle et même à Puget-Théniers.

---

1. L'onomancie est la science qui permet de déceler la valeur numérique et ésotérique d'un mot, en remplaçant chaque lettre par un chiffre déterminé.

11

L'AFFAIRE DE GISORS

Depuis la parution du célèbre ouvrage de Gérard de Sède « Les Templiers sont parmi nous », le château de Gisors est devenu pour le public le fief secret le plus célèbre de France. Des fouilles entreprises en grand secret pendant l'occupation allemande auraient abouti, après un périlleux forage, à la découverte d'une chapelle souterraine où se trouvaient « trente coffres, treize statues et dix-neuf sarcophages ».

Clandestines, puis officielles, d'autres fouilles furent effectuées, entourées de toute la discrétion d'usage.

Le site de Gisors se trouve sur le passage d'une veine tellurique nord-sud et se place à 13 degrés vers l'ouest par rapport au midi vrai. Gisors fut une place maîtresse, au bord de l'Epte dont le cours formait la ligne de démarcation entre le domaine royal français et le duché de Normandie, fief d'Angleterre à la fin du xi° siècle [1].

---

1. Michel Le Pesant, directeur des Archives de l'Eure.

En 1096, Guillaume le Roux, roi d'Angleterre, chargea Robert de Bellême d'édifier sur un monticule, spécialement aménagé à cet effet, un donjon à deux étages dans une enceinte fortifiée.

Son successeur, Henri Ier, y fit bâtir une large ceinture flanquée de tours carrées et, en 1145, le comte d'Anjou, gendre d'Henri 1er, pour faire valoir ses droits à la couronne d'Angleterre dut céder Gisors au roi de France, Louis VII.

Celui-ci, occupé qu'il était par la Seconde Croisade, ne tira guère parti de son nouveau domaine et, en 1161, une habile manœuvre d'Henri II Plantagenêt permit au duché de Normandie de rentrer en possession de la place.

Elle fut alors remise en état, le donjon surélevé de deux étages encore et le mur d'enceinte doublé d'épais contreforts. Les tours furent modifiées, la tour nord, dite Tour du Diable, fut érigée tandis que les entrées sud-ouest et sud-est étaient renforcées.

En 1193, probablement par suite d'une trahison, Gisors passa aux mains de Philippe Auguste. Celui-ci voulant encore augmenter sa défense contre toute éventuelle offensive anglaise fit bâtir la Tour du Prisonnier, au sud-est, dominant l'Epte.

Le château de Gisors resta au domaine royal français mais l'histoire n'en parle plus jusqu'en 1375 où d'importants travaux y sont exécutés. C'est à cette date que l'on ajoute la tourelle de l'escalier du donjon.

La construction n'est donc pas d'origine templière et si l'on se réfère à l'Histoire, précisant que la motte prévue pour la construction du donjon initial a été aménagée préalablement à son édification, il faut admettre que la chapelle souterraine découverte lors des fouilles relatées par Gérard de Sède dut être bâtie avant tout le reste, soit antérieurement à 1096.

S'il y eut concession aux Templiers par le roi de France ce ne fut pas non plus avant 1193. Il n'existe d'ailleurs à ce sujet aucune indication historique mais l'on peut admettre qu'il y eut tout de même des accords discrets, voire secrets.

Ce qui reste certain c'est que le château est passé entre les mains de l'Ordre au cours du XIIIe siècle, à l'époque notamment de la construction de l'église Saint-Gervais et Saint-Protais de Gisors.

Aux alentours, dans la zone tellurique favorable, il subsiste de nombreuses traces de l'implantation templière.

A dix kilomètres, une croix templière se dresse encore dans la plaine de Neaufles-Saint-Martin. Taillée dans un bloc de pierre, elle confirme par ses évidements les angles caractéristiques de 34 degrés tandis que la largeur du pilier, par rapport au centre carré de la croix, confirme celui de 13 degrés.

Non loin, près d'Harquency, la commanderie de Bourgoult, les fermes fortifiées d'Authevernes et de Fours, témoignent d'une certaine densité d'occupation templière.

Malgré tout, il paraît difficile de penser que les Templiers aient entreposé et laissé à Gisors leurs biens les plus précieux à partir du moment où leurs difficultés ont débuté avec le Roi de France. Du reste, tout ce qui concerne les découvertes qui ont été faites dans la chapelle souterraine demeure hypothétique. On sait simplement qu'il est question de « coffres, statues et sarcophages ».

Il faut aller plus loin.

Sur le plan tellurique, la ligne Gisors-Beauvais est effectivement d'une grande force et Gérard de Sède n'a pas manqué d'indiquer que la porte secrète de la chapelle souterraine ne s'ouvre que la nuit de Noël, après la lecture rituelle — qui précède la Messe de Minuit — de la Généalogie du Christ où la liste des Quarante-Deux Rois de Judas est énumérée par groupes de quatorze.

Or, à Beauvais, dans la cathédrale qui ne comporte que le chœur, la Messe de Minuit provoque un changement de rituel. L'office n'est pas célébré au maître-autel mais dans le côté droit du chœur tandis que le côté gauche demeure inoccupé.

Quelle en est la raison?

La cathédrale de Beauvais, construite par les Templiers, devait être dédiée à Notre-Dame quand sa nef aurait été achevée. Celle-ci aurait englobé l'emplacement d'une chapelle qui existe encore sous le vocable de Notre-Dame.

Suivant la tradition qui veut que les Serpents de la Terre ou veines telluriques soient placés sous la protection de la Vierge, le chœur de Beauvais fut édifié sur l'une de ces sources fluidiques, prenant son intensité la plus forte le 22 décembre, à une heure déterminée, confirmée par les constellations du ciel.

Les modifications et les perturbations provoquées sont alors telles qu'elles obligent à déplacer tout le rituel des offices et, pour éviter les répercussions physiologiques, l'assistance des fidèles est également invitée à suivre.

Rien d'étonnant, dès lors, à ce que sur cette même ligne tellurique, ce moment puisse marquer les temps favorables et propices pour accéder au sous-sol, à Gisors comme ailleurs.

Pour trouver la « clé des Quarante-Deux Rois » qui ouvre la porte secrète des trésors, il ne faut plus regarder le donjon mais, au contraire, lui tourner le dos et observer le ciel de la nuit de Noël.

A 42 degrés par rapport à la constellation du Lion, il y a Sirius et à 13 degrés de l'étoile, se trouve la constellation du Lièvre, ce qui fait 55, comme l'angle que forment les bras de la croix de Neaufles-Saint-Martin. Et plus loin se trouve Sées, au delà de Conches, et surtout L'Aigle, petite ville qu'indique vers le nord-ouest la constellation de l'Aigle.

Mais nous sommes très près aussi des coffres, des statues et des sarcophages et nous pouvons les retrouver grâce à des positions solaires, planétaires et stellaires.

Une cathédrale celtique de l'époque mégalithique, celle de Stonehenge, en Angleterre, nous montrera ses trente dolmens, ses trente-neuf menhirs — soit trois fois treize statues — et sa ceinture de dix-neuf petits menhirs.

C'est une même connaissance d'origine cosmique, mais les rois changent et les coffres, les statues, les sarcophages ne sont plus les mêmes.

Enfin, ne nous étonnons pas davantage, après ces angles de 13 et 14 degrés, si c'est en 1314 que les Templiers ont dû répondre de leur mission et payer pour son secret. Et ceci se passera à Paris, dans l'Ile

L'Or des Templiers

de la Cité, sous l'angle habituel par rapport à la forteresse du Temple de Paris.

Il y a peu de chances que l'on puisse exhumer un jour de la motte de Gisors des coffres et des sarcophages templiers qui, très certainement, ont été entreposés ailleurs.

12

L'OR DU TEMPLE

L'Ordre templier possédait effectivement de grandes richesses. Il était devenu le dépositaire, le banquier en quelque sorte, des biens considérables que l'on confiait à sa vigilance.

Il lui fallait donc parfaire son réseau de protection et de surveillance. Au début, les solides murailles du Temple de Paris présentaient des garanties suffisantes. Mais, tandis que le XIIIᵉ siècle va toucher à sa fin, l'étonnante organisation templière, implantée dans toute l'Europe, est devenue la détentrice d'une puissance financière exceptionnelle.

Les princes, les rois, ont recours à elle et Philippe le Bel a des besoins de plus en plus impérieux à satisfaire. Si bien que, pour ses débiteurs, soucieux de l'agressivité du Roi qui ne cache guère son hostilité, il paraît plus prudent de rechercher ailleurs l'abri secret des trésors dont il faut assurer la garde.

Ils auraient pu choisir Gisors et sa crypte spacieuse; c'eût été un choix quelque peu hasardeux et, dans la cosmogonie des initiés templiers, Gisors ne se présente guère comme un point idéal en fonction de la ligne tellurique Carcassonne-Bourges-Paris que si Bourges est considéré comme le centre de la France.

Gisors se place alors sur un angle de 13 degrés. Mais ce n'est cependant pas encore l'angle de 13 degrés par rapport à l'Orient, cet angle de « Treize-Orient » qui doit présider à l'enfouissement des « Trésors ».

Il est un autre point qui correspond bien mieux à l'orientation templière classique et tenue secrète — celle du Grand Orient — lever du soleil au 21 juin par rapport à Paris — et ce point se place à Sées. S. E. à l'endroit et à l'envers.

C'est là que fut bâtie au XIIIe siècle l'une des treize Notre-Dame gothiques de l'Ile-de-France et toutes les cathédrales qui furent édifiées à la même époque, en France, sur le pourtour, furent dédicacées à saint Etienne, S. E. également. Ainsi, à Bourges, à Sens, à Rouen, à Chalon, à Limoges, Metz et Strasbourg.

Or, en portugais, une cathédrale se nomme « Se », étymologiquement issu du latin *sedere*, comme cathédrale vient de *cathedra*. Notre-Dame de Sées est une cathédrale de transmutation des forces telluriques.

Cathédrale double, elle détient un secret qui la relie au Portugal. Les preuves historiques font défaut mais il existe des liens architecturaux et ésotériques. A certaines époques de l'année, un dispositif particulier permet aux rayons du soleil, éclairant le vitrail du Roi David, de projeter sur le pilier gauche du transept formé par sept colonnes une chatoyante tapisserie sur laquelle viennent jouer des cœurs multicolores pendant qu'un ovale lumineux se

déplace au bas du pilier jusqu'à venir encadrer parfaitement une fine tête sculptée, exacte réplique de
celle qui décore un chapiteau dans l'actuel réfectoire
du Couvent du Christ à Tomar.

Il est possible qu'avant l'application des arrêts pris
à l'encontre des Templiers, tous les biens les plus
précieux de l'Ordre fussent rassemblés et mis en
sécurité à Sées, en un point extrêmement secret
auquel le puits qui se trouve à l'intérieur de la
cathédrale peut n'être pas étranger.

Et lorsque les intentions de Philippe le Bel se précisent, les trésors quittent Sées en direction du Couchant, vers le Mont-Saint-Michel dont la baie se
trouve à trente-quatre lieues exactement.

Des vaisseaux portugais, spécialement affrétés par
les Templiers, sont là qui attendent la précieuse cargaison.

Encore une fois, l'angle de 34 degrés, angle
d'orientation essentiel, va confirmer la route. Et le
chargement à la valeur inestimable débarque à Serra
d'El Reis, près d'Obidos d'où le transport jusqu'à
Tomar ne pose plus aucun problème. Le Roi Denis a
refusé de céder aux pressions de Philippe le Bel et,
en Portugal, le Temple continue à jouir de la plus
parfaite sécurité.

Quelle connaissance ésotérique avait pu déterminer le choix de Sées et de ses environs de préférence
à Gisors?

Il serait difficile de comprendre les raisons qui
auraient motivé cette décision si l'on n'admettait,
encore une fois, que l'interprétation de la voûte
céleste soit la base fondamentale d'une cosmogonie

et d'une destinée choisies suivant certains aspects du firmament à des dates précises.

Un grand nombre de cosmogonies anciennes se réfèrent au solstice d'été et donc à la position de la voûte céleste à la mi-nuit de ce jour, car toute cosmogonie, pour être complète, doit tenir compte de tous les éléments célestes de jour comme de nuit.

D'autres se basent sur l'aspect du ciel de la Saint-Jean d'hiver ou de la nuit de la Nativité.

Pour les Templiers, continuateurs de la Tradition solaire du solstice d'été, la correspondance nocturne, constellaire donc, était celle des Gémeaux.

Son complément hivernal était représenté par l'autre signe double du Zodiaque, celui des Poissons dont la fête de saint Sébastien, le 20 janvier, marque l'apparition dans le ciel. Telle était la base de référence de leurs observations stellaires.

Les positions célestes, rapportées à la terre, se traduisaient soit par une architecture, telle une cathédrale, soit par la dénomination d'un lieu, d'une cité laquelle rappelait ainsi, en la confirmant, les données célestes dont elle était issue.

Il existe donc, sur le sol de France notamment, des relations géographiques et cosmiques qui illustrent cette cosmogonie et son ésotérisme en même temps qu'elles constituent la source d'inspiration de l'évolution future.

Si l'on trace sur la carte de France un cercle qui a pour centre Bourges et pour rayon la distance Bourges-Sées, on s'aperçoit que le tracé passe par L'Aigle, Luz-arches, Arc, Aurillac [1].

---

1. Comme Argent et comme Aureus, l'or.

En reprenant le principe de géométrie précédemment utilisé, on constate que le carré périmétrique et le carré superficiaire recoupent également des points importants.

En cosmogonie argotique, Amiens est le point limite du symbolisme qui présida à l'édification des Notre-Dame[1].

Le cercle qui passe par L'Aigle et Amiens, passe également par Avise et Argent — au nom évocateur — situé au-dessus de Bourges, la capitale de Charles VII et centre des activités du Grand Argentier de France, Jacques Cœur[2].

Notons, au passage, qu'Argent domine Aurillac, l'Or du Lac ou dans le Lac.

Gisors, par sa position, aurait pu bénéficier de quelque faveur mais ce ne pouvait être qu'à titre temporaire. Tout le mouvement templier ne fut, en effet, qu'une constante évolution.

L'Epine se situe à l'est, au point extrême de la construction des Notre-Dame argotiques. C'est là qu'on éleva la dernière. La ligne qui part de ce point vers Paris et L'Aigle aboutit au Mont-Saint-Michel.

Les biens templiers ont donc pu être enfouis entre Sées et L'Aigle, sinon dans l'une de ces deux villes, voire dans les deux, avant leur transfert par mer.

A L'Aigle, un important bastion pouvait abriter, du moins en partie, le dépôt en question. Et cela

---

1. Cf. Le Berceau des Cathédrales, Édit. Denoël.
2. Nous verrons plus loin pourquoi il était prédestiné à déplacer le centre de ses activités commerciales vers Montpellier et Aigues-Mortes.

d'autant mieux que par son nom, cette ville se place sous les auspices de la constellation rappelant l'oiseau cher à Jupiter en même temps que l'incarnation symbolique de l'Aigle de saint Jean l'Evangéliste, l'initiateur des argotiques et des Templiers.

13

L'ORACLE DU CIEL

Il ne faut pas perdre de vue que le Savoir ancien résidait en grande partie dans l'observation du ciel et les interprétations que l'on pouvait faire des positions constellaires en un temps donné et suivant une genèse donnée.

Tout était réglé sur l'Oracle du Ciel.

Par leur nom et leur symbolisation, les constellations devenaient des personnages imaginaires ou des animaux mythiques puisant auprès des dieux la source des messages à transmettre aux hommes en leur langage mystérieux.

Le schéma que nous avons établi contient de nombreuses déductions que nous allons examiner succinctement.

Sur la ligne oblique qui va de L'Aigle à Rennes-le-Château, il y a, en relation avec ces deux dépôts, un autre lieu au nom suggestif de « Trésor ». A Mesland, à l'emplacement d'un château légendaire, deux énormes cloches remplies d'or reposeraient sous terre. Cela nous rappelle cette autre légende qui raconte qu'à Rennes-le-Château, au pied du Bézu, un puits est rempli de « clochettes d'or ».

L'autre ligne oblique conduit d'Amiens à Vilcrose, là où le « Berger Pain » vit de ses chèvres au lait intarissable. Sur cette ligne, Sens avec son fabuleux trésor; Autun détentrice de celui d'Augustudunum dont une partie fut effectivement découverte en 1857, et du non moins mirifique trésor des Druides.

Vient ensuite Beaujeu avec son château d'Arginy où de fantastiques chevaliers montent la garde autour d'un autre trésor.

Le *Guide de la France Mystérieuse*[1] raconte que d'après une tradition locale, deux membres de la famille des comtes de Beaujeu furent membres de l'Ordre du Temple et précise que selon « un document daté de 1745, Jacques de Molay, le Grand Maître, réussit après son arrestation à confier au comte de Beaujeu le secret du Trésor du Temple. De fabuleuses richesses, des documents inestimables, des reliques parmi lesquelles l'index de la main droite de saint Jean-Baptiste, auraient été cachés dans un souterrain, sous les tombeaux des Grands Maîtres de l'Ordre. Au nombre de ceux-ci figurait l'oncle du Comte. Ayant donc appris comment pénétrer dans ce souterrain, il sollicita du Roi l'autorisation d'exhumer les cendres de son parent afin de les transporter sur ses terres. Il en aurait profité pour substituer au sarcophage les pièces les plus importantes du Trésor des Templiers afin de les mettre en lieu sûr dans la région du Rhône ».

---

1. Tchou Édit.

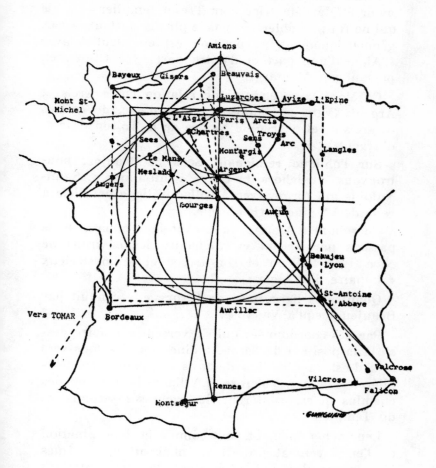

*Principe de quadrature appliqué sur la France, avec Bourges,
pour centre fictif*

Notre schéma confirme que Beaujeu peut fort bien avoir été la détentrice d'un Trésor templier — mais qui ne fut probablement pas le plus important — car, géométriquement, sa position est en identité avec L'Aigle d'une part et d'autre part avec Gisors, en passant par Montargis.

Ce Mont-Argis établit une relation entre Arcis et Argent. Cette combinaison relève d'Arc, de coffres — arcis — et d'Argo, le Navire de la Toison d'Or et d'Argent.

Sur l'oblique rejoignant Sens et Beaujeu, nous trouvons, en dehors du Carré « initiatique », Saint-Antoine qui forme avec Aurillac la ligne parallèle à celle de L'Epine-Paris-L'Aigle.

En reliant L'Aigle et Saint-Antoine l'abbaye, nous passons par Argent et atteignons les environs de Nice avec Falicon et son trésor et le mystérieux « Repaire de l'Aigle ».

Quant à la ligne issue de Gisors, elle conduit par Beaujeu jusqu'à Valcrose.

Par des coordonnées qui s'inversent sur notre dessin à la position de Saint-Antoine, nous partons vers le sud-est en direction de trois commanderies templières, Vilcrose, Valcrose et Villacrosia. Ce sont des chemins qu'empruntèrent des richesses secondaires du Temple.

Leur acheminement, tout comme la détermination de l'emplacement protecteur, obéissait aux mêmes lois que celles qui régissaient les implantations architecturales pour les églises, les cathédrales ou les châteaux : celles des astres.

Examinons alors la position des constellations au

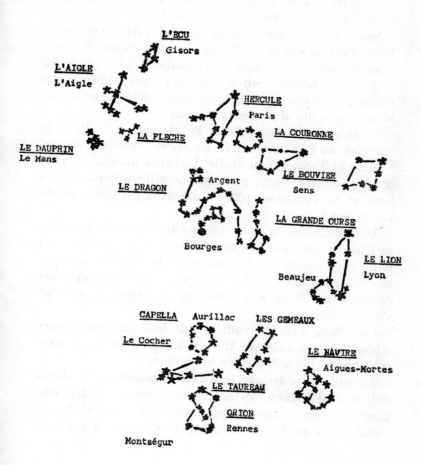

*Constellations sur la France, le 20 janvier à 0 heure. Fête de
Saint-Sébastien*

20 janvier à zéro heure de temps vrai, fête de saint Sébastien, le martyre aux flèches [1].

Nous voyons alors dans le ciel l'Aigle de saint Jean, l'Initiateur et la flèche de saint Sébastien, au-dessus de la Basse-Normandie. Le Bouclier — l'Ecu — se place au-dessus de Gisors, Hercule sur Paris, tandis que la Couronne indique la direction de Reims, la ville des sacres royaux.

Le Bouvier domine Sens, l'archevêché, le Pasteur chrétien de Chartres, Auxerre, Meaux, Paris, Orléans, Nevers et Troyes. Son étoile Arcturus montre la ville d'Arc. Le Lion vient protéger la ville qui porte son nom et la Vierge se place au-dessus de l'abbaye de Clairvaux [2].

Aurillac, ville de l'or, recevra le Sceau de Capella, la Chèvre, qui domine la Cloche — ou Cocher — et nous retrouvons les légendes de la Chèvre d'Or et des Cloches d'Or. C'est lorsque cette constellation reçoit le soleil en son lever que les trésors peuvent s'ouvrir.

Plus bas, vers le sud, Orion indique les trésors wisigothiques, unissant Rennes-le-Château et Montségur, hauts lieux templier et cathare.

Au sud-est se trouve le Navire, au-dessus de Montpellier et d'Aigues-Mortes, Navire Argo de la légende grecque des Argonautes, port où Saint Louis s'embarqua en Croisade. Jacques Cœur y développa

---

1. Il convient, bien entendu, de renverser la carte du ciel, pour se placer en position d'observation réelle, avant de la reporter sur la carte de France.
2. Ce qui nous rappelle le songe de saint Bernard (voir spécialement page 62).

ses activités commerciales qui avaient pris leur essor à Bourges, sous l'égide du Dragon.

La petite constellation du Dauphin témoigne aussi de la faiblesse du Royaume de France qu'un Dauphin s'évertua à protéger.

Voici l'essentiel de la cosmogonie templière du 20 janvier qui, nous l'avons vu, complète en sa correspondance hivernale les observations stellaires de la cosmogonie solaire templière.

Comment se présente le ciel la nuit du 21 juin?

L'Aigle indiquera par le déploiement de ses ailes ce qui peut se trouver en Dauphiné et le Dragon, en position renversée vers le sud-est, domine encore le centre de la France.

C'est le moment où Hercule et le Bouvier ont enseigné aux Wisigoths les lieux de leur implantation.

La Vierge montre la voie d'une queste virginale depuis le sanctuaire de Rocamadour jusqu'à la chapelle du Pilier de Saint-Jacques-de-Compostelle [1].

Au-dessus de la petite ville de L'Aigle, les Gémeaux, le signe de prédilection du symbolisme templier, tandis qu'Orion appelle, vers le nord, à la recherche celte dont le ferment se retrouve au sud, au Razès, à Rennes, avec ses menhirs.

La Chèvre et le Cocher, ou Clocher, dominent Paris pendant que le Navire recouvre Le Mont-Saint-Michel.

---

1. La Vierge apparut à l'apôtre saint Jacques le Majeur au port d'El Padron, à proximité de Compostelle, sur un pilier. La tradition a été reprise ultérieurement à Saragosse dans la cathédrale dédiée à la Vierge du Pilar.

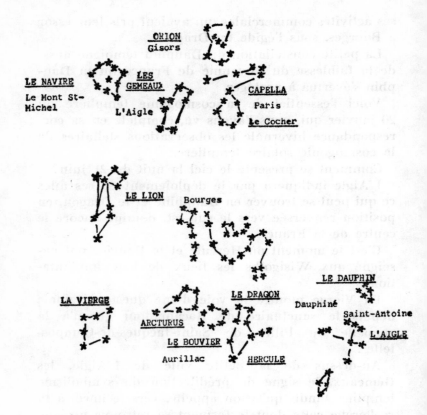

Constellations sur la France le 21 juin à 0 heure

C'est alors que la signification du ciel au 21 janvier devient également ésotérique et que l'on y retrouve les jalons qui permirent les grandes décisions.

Et le Bouvier précède le Chariot parce que l'Aigle a parcouru les cieux et revient à un point de l'horizon où il est à nouveau couronné de l'or du soleil levant dans le signe du Capricorne.

Et c'est à la fin de ce signe que moururent sur les bûchers le Grand Maître et les principaux membres de l'Ordre du Temple, demeurés sur place afin qu'un autre Aigle renaisse.

14

L'AIGLE A DEUX TETES

Si les fougueux Templiers, fervents adeptes de l'initiation johannique, disparurent subitement ou presque, désarmés par les tribulations du sort, il est un autre Ordre qui sut préserver pendant plusieurs siècles encore les bases secrètes de sa connaissance.

Cet Ordre des Antonins qui forma par la suite avec les Hospitaliers de Saint-Jean l'Ordre des Chevaliers de Malte, put passer en son temps presque inaperçu dans le cours de l'Histoire, tant il tint à se limiter à sa seule vocation et à ne pas marquer le pas dans la société médiévale.

Son initiation, moins précise peut-être que l'initiation templière, fut semble-t-il plus harmonieuse, pour ne pas dire plus parfaite, sachant maintenir l'équilibre entre un idéal contemplatif et une action concrète. Sa sagesse sans doute le rendit-il moins vulnérable aux atteintes des siècles.

Discrètement, patiemment, efficacement, il grandit en Dauphiné, avant de prendre plus ouvertement sa part des Croisades et de déborder ses limites territoriales initiales.

L'Or des Templiers

L'Ordre antonin était l'héritier d'une tradition que les Frères de l'Aumône avaient reçue de leurs fondateurs, neuf gentilshommes dauphinois qui s'en étaient allés en Orient, près d'un siècle avant la quête templière, rechercher les reliques de saint Antoine, l'anachorète d'Egypte.

Quels éléments nouveaux rapportèrent-ils de leur voyage, de ce retour aux sources d'un savoir ésotérique qui était déjà leur apanage et quelle tradition fut-elle l'étincelle de leur savoir futur?

Connaissance d'origine johannique certainement, complétée par l'apport inattendu d'un hermétisme oriental, découlant d'un culte égyptien isiaque, transposé suivant les nécessités de christianisation en un culte dédié à une sainte patronne, Marie l'Egyptienne. Femme de mœurs libres, cette courtisane, suivant l'exemple de saint Antoine, se serait retirée en Egypte, dans le désert où pendant quarante-sept ans elle aurait miraculeusement survécu avec trois pains. Indications légendaires certes, mais les Nombres, par leur langage, demeurent explicites[1].

Bien que de façon peu précise, on situe les faits à la fin du IV° siècle, entre 345 et 421. Marie l'Egyptienne aurait donc été contemporaine de la belle alexandrine Hypatie, célèbre aussi bien pour son charme que sa rayonnante intelligence. Dans l'Ecole qu'elle ouvrit à Alexandrie, l'un des hauts lieux de la connaissance de l'époque, elle commentait Platon et Aristote et enseignait les beautés de la géométrie et le secret des astres.

---

1. 47, en symbolisme, correspond au nombre atomique de la lune en même temps qu'au nombre des électrons de l'argent.

L'Evêque de Cyrène fut son admirateur et son disciple mais il ne put la protéger de la vindicte des moines et notamment de saint Cyrille dont les prêches violents déclenchèrent contre la philosophe les fureurs sacrées de la foule qui finit par la massacrer. Il se peut que, comme saint Antoine, Marie l'Egyptienne ait recueilli quelques secrets coptes car des recettes occultes qu'on lui attribua furent reprises par la magie médiévale et demeurent encore présentes dans les traditions du peuple gitan.

Mais il n'est pas impossible encore que la tradition, voulant dans sa sagesse, sauvegarder l'enseignement interdit d'Hypatie, ait superposé pour la bonne cause le visage de la sainte à la figure de l'héroïne.

Toujours est-il que les successeurs des gentilshommes dauphinois adaptèrent leurs apports nouveaux aux nécessités du moment.

S'inspirant de l'architecture arabe, les Antonins furent les promoteurs de l'élan ogival médiéval et bien avant les gothiques, ils surent incorporer dans leurs principes architecturaux solaires, les traditions isiaques des Vierges Noires, revivifiées en Marie l'Egyptienne.

L'Aigle de saint Jean était le symbole de la cosmogonie templière, issue de l'observation de la constellation de l'Aigle et de ses interprétations astronomiques. Toute l'œuvre templière fut orientée vers une meilleure organisation sociale et cette recherche de sacralisation que traduit l'architecture gothique.

La cosmogonie des Antonins se distingue de celle des Templiers et des purs johannistes, complétant leurs principes par une correspondance métaphysique et leur apportant une autre dimension. A la mise en œuvre de la loi de charité désintéressée qu'enseigne l'Evangile, s'ajoute la spiritualisation des nouvelles valeurs géométriques concrètes, constituant le support qui conduit par la prière et l'invocation vers l'ouverture à l'extase mystique. C'est une cosmogonie à double orientation.

Moins riches et moins puissants que les Templiers, les Antonins surent compenser leur handicap par des alliances avec les princes du Saint Empire germanique dont territorialement ils dépendaient. Séparés du Royaume de France, ils intensifièrent leurs contacts avec les ordres étrangers et notamment avec l'Ordre des Chevaliers Teutoniques, anciens chevaliers Porte-Glaive aux temps de la splendeur impériale de Charlemagne, dont ils reprirent d'ailleurs l'emblème à l'Aigle bicéphale, confirmant encore ainsi le sens double qu'ils attribuaient à l'observation de la constellation de l'Aigle et aux Ecrits de saint Jean.

Installés à La Motte-Saint-Didier, les Frères de l'Aumône connurent rapidement la notoriété grâce aux nombreux miracles attribués aux reliques de saint Antoine.

Une source « miraculeuse » elle aussi, réputée déjà bien avant l'époque romaine, renforçait de ses effets curatifs les soins que seuls les Frères de l'Aumône savaient dispenser aux innombrables malheureux atteints du terrible « mal des Ardents », cette gangrène fort répandue, provoquée par la fermentation du germe de blé et dont le traitement le plus courant consistait à arracher le membre atteint à l'aide d'une courroie, véritable vivisection digne des tortures de l'Inquisition.

Le sanctuaire prit bientôt le nom de Saint-Antoine-l'Abbaye et chaque année des dizaines de milliers de pèlerins s'y rendaient, obligeant les Antonins à se faire bâtisseurs de cathédrale.

La chapelle d'époque carolingienne de La Motte-Saint-Didier qui ne répondait plus aux besoins du sanctuaire fut recouverte d'un immense tertre en terre sur lequel on entreprit d'édifier, dès la fin du XIᵉ siècle l'immense cathédrale Saint-Antoine, tout en préservant l'accès de la chapelle qui devint par la force des choses une église souterraine.

Cette crypte demeurée accessible au cours des siècles disparut soudain en 1944 où, un beau jour en effet, toute trace de son entrée s'effaça.

Le curé de la paroisse ne fournit aucune explication précise et ses ouailles, peu à peu, l'oublièrent. Voici une dizaine d'années, seuls quelques paroissiens se rappelaient encore y avoir pénétré, mais aucun ne gardait de souvenir précis quant à l'emplacement exact du couloir souterrain menant à l'ancienne chapelle.

Cependant le curé semblait jouir d'une aisance récente quelque peu insolite et l'on ne manqua pas de noter dans son train de vie maints signes extérieurs de richesse. Peu d'années après, il quittait la cure.

Son successeur tenta de recueillir toutes les indications possibles pour orienter les recherches qu'il avait décidé d'entreprendre pour retrouver le couloir secret ou la crypte elle-même. Pendant quinze ans, en compagnie de l'architecte des Monuments historiques de Grenoble, il tenta sans succès, en divers points de l'édifice, des fouilles ruineuses.

Comment établir des preuves tangibles confirmant des hypothèses géométriques et symboliques, en un moment où il demeure interdit de pratiquer le moindre sondage à quiconque n'y est pas expressément invité par les autorités officielles?

Que faire en une cathédrale pour obtenir qu'elle daigne faire parler ses pierres, sinon espérer que le soleil vienne donner les premières lettres d'un message dont tout l'édifice recouvre le secret?

Et attendre que son jour anniversaire, saint Didier, l'ancien protecteur du pays, accepte de vous guider en un endroit précis pour vous montrer l'ovale lumineux dessiné sur le sol par son effigie en verre. L'Evêque, du haut de son vitrail qui cache un artifice discret que le soleil vient frapper selon un certain angle, vous soufflera alors les chaudes vibrations d'un « O » tout doré de soleil.

C'est une invitation pour partir rechercher dans l'architecture elle-même une seconde lettre de pierre, autre ovale dans lequel vient s'inscrire un « Tau ».

En cette magnifique cathédrale ogivale, empreinte de recueillement, chargée de symbolisme et lourde d'un mystère, un cheminement commence auprès d'un chapiteau qui peut vous conduire de « Tau » en « Tau », de signe en signe, jusqu'à une porte murée, si habilement reprise que la trace de son emplacement est devenue quasiment invisible.

C'est elle qui permettait l'accès d'un souterrain traversant toute l'église pour déboucher dans l'ancienne chapelle carolingienne enfouie sous le tertre.

Nul doute que la preuve n'en soit faite un jour.

Mais que s'est-il passé à Saint-Antoine au début de l'année 1944?

Ici, nous pouvons seulement émettre une hypothèse.

Au lever du soleil, le 23 mai, fête de saint Didier, la constellation de l'Aigle est au sud tandis que, protégeant le Dauphiné, le Dauphin, emblème d'Apollon [1], brille au-dessus de Saint-Antoine.

A la même heure, la Chevelure de Bérénice se couche à l'ouest, source peut-être de la légende qui attribue à Marie l'Egyptienne une crinière si longue et si fournie qu'elle cachait sa nudité.

On peut voir à Saint-Antoine, ornant le maître-autel de la cathédrale, un panneau de bronze représentant l'Aigle bicéphale, offert en 1502 par l'Empereur Maximilien. Les ordres des chanoines réguliers de Saint-Antoine-du-Viennois conservèrent cet emblème, complété par un « Tau ».

De tous ces éléments réunis, il ressort une hypothèse. Il n'est pas interdit de penser qu'au cours de la dernière Guerre, pendant l'Occupation, des officiers allemands, membres de l'Ordre des Chevaliers Teutoniques [2] soient venus placer à Saint-Antoine, sous la protection de l'Aigle bicéphale, là où cosmiquement et ésotériquement il doit se trouver, un précieux dépôt confié jusque-là à la garde d'un aigle monocéphale.

---

1. L'archéologie a récemment mis au jour en Dauphiné les vestiges d'une ville grecque qui semble avoir été vouée au culte d'Apollon.
2. Le siège de l'Ordre des Chevaliers Teutoniques se trouve à Vienne, en Autriche. Notons que saint Didier fut évêque de Vienne en Dauphiné.

S'agit-il d'une ponction faite à un trésor templier pour rétablir la justice et l'équilibre des choses et rendre sa part à Saint-Antoine-du-Viennois?

Un tel transfert peut se trouver motivé et justifié par la double direction qu'indique la constellation de l'Aigle qui, en novembre, à l'opposé du zodiaque, six mois après la fête de saint Didier, se trouve aux environs de Gisors, au-dessus de Sées et de L'Aigle, confirmant à la fois les bases de la cosmogonie bicéphale antonine et la continuité d'une tradition initiatique, consciente des impératifs qu'impose l'évolution, afin que toujours elle reste permanente et vraie en fonction de son réajustement cosmique.

Toujours est-il que des pierres ont bouché le Seuil et que toute trace a été soigneusement effacée d'une volonté manifestement délibérée.

Le silence de l'ancien curé dut être grassement payé et, depuis 1944, la crypte de l'abbatiale garde son secret.

15

UN PHENIX QUI RENAIT

Après 1314 l'Ordre templier allait, comme le Phénix, renaître de ses cendres. Le Roi de France espère avoir anéanti ses dangereux rivaux. Un seul souverain refuse de se rendre aux instances de Philippe le Bel et l'Ordre martyrisé trouve un large accueil en terre portugaise. Il y bénéficie même d'un grand prestige auprès du Roi Denis qui reste d'autant mieux disposé à son égard qu'il est sans doute au fait de certains secrets.

Souverain éclairé, fondateur de la célèbre université de Coimbra, il s'intéresse aux arts et aux sciences et ne peut manquer de favoriser toutes les études et les recherches qui s'effectuent sous son égide. Cet esprit large peut sans doute pressentir les voies de l'accomplissement des brillantes destinées qui sont promises à son pays un siècle plus tard.

Peut-être sait-il déjà que depuis le cap Carvoeiro des côtes lusitaniennes, dans un angle de 34 degrés, il existe un continent secret aux immenses richesses? Le premier port que l'on rencontre sur la côte du Brésil, Caravelas — au nom caractéristique — dessert une région aux mines fabuleuses. La province des Minas Gerais est en effet un inépuisable réservoir de plomb, de cuivre, de mercure, d'argent, des réserves illimitées qui suffiraient à approvisionner pendant des siècles tous les fours alchimiques de transmutation.

C'est sous le signe d'un triple recommencement, d'un triple renouveau, que l'on commence vers 1327, trente-neuf — ou trois fois treize — périodes de 34 ans après le début de l'ère, à tenter véritablement des liaisons avec cette terre aux mines si providentielles.

Ce ne seront peut-être pas des liaisons régulières ni fréquentes mais elles permettront tout de même de préciser les données et suffiront aux nécessités du moment.

Ces expéditions ne constituent d'ailleurs pas une réelle innovation. Elles ne font que confirmer ce que la tradition rapporte au sujet des tentatives des civilisations anciennes. Selon la source hyperboréenne, les ancêtres des Normands avaient déjà exploré les côtes de l'Amérique du Nord et l'on ignore bien d'autres exploits dont témoignent par exemple les relevés de Piri Reis.

Les courants maritimes, au départ de la côte lusitanienne semblent particulièrement favorables pour rejoindre le Brésil.

Et saint Sébastien viendra encore au secours de ses fidèles.

La nuit de sa fête, au minuit vrai, Arcturus se lève à l'est, le Taureau se couche à l'ouest, le Lion est au sud tandis que sous l'angle de 34 degrés on voit, vers l'ouest la constellation du Navire.

N'est-ce pas l'invitation à tenter l'aventure vers la mer?

De nos jours où les voyages interplanétaires sont passés de la science-fiction aux réalités quotidiennes, les étoiles sont toujours aussi lointaines mais jouent dans notre exploration moderne du cosmos un rôle important car elles deviennent les phares aidant à placer les sondes cosmiques sur orbite.

C'est ainsi qu'après le lancement de Mariner IV et un vol de seize heures sur une orbite géocentrique, les techniciens déclenchèrent des manœuvres d'orientation. L'antenne de Mariner capta d'abord les rayons de l'étoile Markab de la constellation de Pégase, puis ce fut au tour d'Aldébaran, l'étoile la plus brillante du Taureau. Mais comme ces étoiles ne pouvaient guider le voyage de la sonde, Mariner reçut l'ordre de rechercher l'étoile du Canope de la constellation du Navire dans le ciel austral. La manœuvre réussit et Mariner IV atteignit son but : la planète Mars [1].

Grâce au précieux concours des intrépides marins d'Estrémadure, les Templiers tentent l'aventure. Le Cancer indique le point qu'il faudra dépasser au Tropique pour continuer toujours à naviguer sous l'angle de 34 degrés avec Sirius, jusqu'à ce qu'Orion, à 17 degrés de lui, n'indique le fabuleux pays des métaux.

Et dans le plus grand secret, des bateaux quittent l'Europe, arborant peut-être déjà, sur leurs voiles, la

---

1. Lancé le 28 novembre 1964, fête de saint Jacques de la Marche, le satellite survola Mars le 15 juillet suivant, fête de saint Jacques le Grand.

grande croix templière de l'Ordre des Chevaliers du Christ, fondé au Portugal en 1320. Parmi eux, la plupart des rescapés du Temple, bannis de France, qui ont rejoint à Tomar, avec leurs frères de la seconde Province, l'Ordre nouveau.

Et tout se fait sans bruit sous la bienveillante protection d'un souverain qui a su attacher à son pays d'éminents serviteurs qui l'aideront à devenir l'une des plus grandes gloires du XVI° siècle.

La cosmogonie templière permettait, en effet, d'élargir les connaissances anciennes de la navigation basées sur l'angle d'observation de Vénus. Si les moyens d'orientation demeuraient les mêmes, l'interprétation du ciel, en tant qu'oracle, se trouvait considérablement amplifiée.

C'est ainsi qu'ignorant des données nouvelles et continuant à naviguer sous l'angle de Vénus, Christophe Colomb qui voulait suivre la même route que les Portugais atteignit non pas le Brésil mais les Antilles. En dépit de tous ses efforts et de toutes ses ruses, il ne parvint pas à percer le secret transmis aux Portugais par les Templiers. L'intrigant génois était allé jusqu'à épouser la fille du fameux marin portugais Bartholomeo « Perestrelo » dont le surnom attestait la science des étoiles. En devenant le gendre d'un tel homme, Colomb conservait l'espoir de s'emparer d'un arcane secret. Il caressait, en effet, de grandioses projets, voulant absolument prouver que l'on pouvait aboutir à l'immense continent des Indes en suivant une voie maritime vers l'ouest, évitant ainsi l'immense périple terrestre vers l'est.

Quand il offre ses services au souverain du Portugal, Jean II, l'expansion maritime portugaise connaît ses plus grands succès. L'offre du présomptueux Génois est repoussée. Depuis 1415, en effet, on s'efforce de trouver la « Route des Epices » par une voie maritime directe et l'idée de contourner le continent africain par le sud a déjà germé dans l'esprit de l'Infant Henrique, le Navigateur.

En 1434, Gil Eanes a franchi le cap Bojador, la limite du monde connu et, en 1488, Bartolomeo Diaz a dépassé le cap des Tempêtes, aussitôt rebaptisé cap de Bonne-Espérance.

Pour fonder l'Ecole de Navigation de Sagres, l'Infant Henrique a fait appel aux astrologues, aux astronomes, aux cartographes et aux marins les plus réputés de l'époque. On y a perfectionné l'astrolabe et le cadran, inaugurant officiellement l'ère de la navigation astronomique. La cartographie a également bénéficié des améliorations. Aux portulans méditerranéens, succèdent des cartes de l'Atlantique qui, même lorsqu'elles ne font pas état de la latitude, montrent la supériorité des Portugais dans ce domaine.

Un nouveau type de bateau a été mis au point, la Caravelle qui connaîtra le succès que l'on sait. Il n'est pas prouvé, du reste, que la *Santa Maria* de Christophe Colomb ait été une Caravelle. Il ne la désigna jamais, en effet, d'un autre nom que celui de nao, la nef.

Nul besoin, en tout état de cause de cet étranger ambitieux que l'on est fort peu désireux de voir continuer à s'intéresser à certains secrets, trop payants pour ne pas être protégés aussi longtemps que possible. Econduit, le Génois se met au service de Ferdinand d'Aragon et d'Isabelle de Castille et, après sa réussite partielle de 1492, rendant officielle la découverte de l'Amérique, l'Espagne et le Portugal signent, en 1494, le traité de Tordesillas qui détermine « par avance » le partage des terres nouvelles à découvrir. Le souverain portugais laisse aux Espagnols tout ce qui se trouve à l'ouest d'un méridien tracé à 370 lieues marines des îles du Cap-Vert pour se réserver tout ce qui est à l'est.

Un tel choix suffirait à confirmer que les Portugais connaissaient effectivement à cette date l'existence du Brésil. Ils seront d'ailleurs contraints à l'annoncer officiellement dès 1500. Mais les circonstances de sa « découverte » par Pedro Alvares Cabral demeurent très peu claires et tout laisse à penser qu'il s'agit d'une histoire élaborée pour les besoins de la cause.

L'entreprise de Colomb fut, quant à elle, probablement financée par les ordres militaires espagnols, Chevaliers de Saint-Jacques, Ordres de Calatrava ou d'Alcantara. Les Templiers fuyant la France ne se replièrent pas en Espagne où les pressions de Philippe le Bel eurent plus d'effets qu'au Portugal. Ils n'allèrent pas davantage en Angleterre où se réfugièrent maîtres d'œuvres et compagnons opératifs. Leurs connaissances secrètes reviendront au Portugal où l'on saura en tirer le meilleur profit.

Les Templiers avaient suivi le chemin des étoiles, tout comme le firent, un siècle plus tard, les Portugais sur la route des Indes ou celle du Brésil.

Sous le même angle, celui des découvertes, ces derniers rechercheront au Soudan de l'or, des esclaves mais aussi le Royaume du Prêtre Jean.

Depuis près de quatre siècles déjà, les esprits sont fascinés par les histoires que l'on raconte sur l'existence d'un pays fabuleux.

Les premières indications remontent au milieu du XIIe siècle. En 1177, le pape Alexandre III, le Roi de France et l'empereur de Byzance ont été les destinataires d'une extraordinaire missive émanant d'un personnage qui prétend être le descendant de la Reine de Saba et des Rois Mages et se trouver à la tête d'un pays merveilleux sur lequel il fournit des détails fort curieux.

Il affirme être le Roi des Rois tant ses villes sont nombreuses. Elles sont gouvernées par Quarante-Deux Rois et, tout en énumérant maintes merveilles qui vont jusqu'aux caractéristiques les plus surprenantes sur la faune de son étrange royaume, il stigmatise les faux Templiers qui sont, confie-t-il « parmi ceux qui sont les ennemis de la Foi ». Il demande au pape et au Roi de France de lui envoyer de nobles chevaliers qui soient « de bonne génération de France ».

Malgré les recherches, on n'a pu recueillir aucune indication précise sur le Prêtre Jean ni sur son Royaume. Des émissaires avaient été dépêchés, mais aucun n'aboutit dans sa mission. Certains cherchaient vers l'est, au delà du monde musulman, allant jusqu'à identifier le Prêtre Jean à Gengis-Khan[1]; d'autres situaient son Royaume vers la Nubie et le Prêtre Jean pouvait alors bien être le descendant d'un des Rois Mages.

---

1. Qui vécut effectivement entre 1154 et 1226.

En reportant l'angle traditionnel templier vers le soleil levant, on repartait sur le chemin de la conquête d'une nouvelle Toison d'Or et les Portugais, comme tous les audacieux, voudront chercher à l'atteindre.

Dès le milieu du XVᵉ siècle, les plus anciennes cartes mentionnent avec des illustrations exotiques le Royaume du Prêtre légendaire en un point qu'on assimile le plus souvent au Paradis. Le descendant de la Reine de Saba y est représenté en costume oriental, avec un large turban rouge, assis, jambes croisées, devant un château aux multiples tours.

Conduits par Don Christophe de Gama, les Portugais réussissent en 1520 la jonction. Ils ne trouvent pourtant pas exactement ce qu'ils ont espéré. C'est en Ethiopie, à Gondar, qu'ils construisent un château et contribuent quelque temps plus tard à arrêter l'invasion musulmane. Décimés, les survivants se fondirent dans la population éthiopienne.

Triste et désolante fin d'un mythe multiséculaire!

Il semble que les Occidentaux furent eux-mêmes à la source de ce resplendissant mirage.

La célèbre missive du Prêtre Jean manifeste, en effet, une acrimonie sans fards vis-à-vis de l'Ordre templier dont les membres sont traités de faux chrétiens et qualifiés de faux frères. Cela peut conduire à penser qu'une certaine jalousie n'y est pas étrangère, vis-à-vis d'un Ordre peut-être trop rapidement développé et dont les recherches ésotériques, probablement peu secrètes au début, ont contribué à éveiller certains soupçons ou même quelques craintes.

Ce pouvait être aussi une sorte de plainte anonyme destinée à dénoncer les menées souterraines de saint Bernard ou des clunisiens. Les termes très ésotériques de la Lettre du Prêtre Jean font en effet penser à un message caché destiné à des initiés, comme le fit plus tard Rabelais, un autre moine. La Lettre peut donc avoir pris naissance dans un couvent envieux de nouvelles connaissances issues des Evangiles et adaptées de saint Jean, alors que les principes auxquels ses — ou son — auteurs se réfèrent semblent s'apparenter aux textes apocryphes de saint Thomas.

16

LE ROYAUME DU PRETRE BERANGER

Il s'agit d'un autre royaume et d'un autre prêtre qui eux, ont bien réellement existés à la fin du siècle dernier, sur l'ancienne terre wisigothique de Rennes-le-Château.

Chaque fois que l'on arrive dans cette région, on est saisi par la beauté sauvage et l'étonnante diversité du site. Gorges rocailleuses et austères dès que l'on dépasse Limoux, collines arrondies aux faîtes dégarnis, se pressant comme en un élan maternel pour contempler l'Aude qui coule en un cours capricieux, jasant sur les rochers, entre des rives boisées.

Quand l'automne allume de ses feux roux les brumes matinales que des oiseaux piailleurs sillonnent d'un vol pressé, le soleil dans sa course ralentie aspire les senteurs humides de la terre, mêlées aux relents épicés des jachères ou de l'herbe des prairies. Ici, ce sont encore des joies bucoliques.

Plus loin, l'atmosphère s'alourdit et se charge de mystère.

Sur le fond du ciel, à peine taché de nuages, les

ruines sombres de Coustaussa élèvent leurs pans de murs délabrés, ajourés, çà et là, d'une trouée d'azur qui fut une fenêtre. Depuis deux cents ans, la mort plane sur ces hauteurs.

En face, vers le sud, au sommet d'un plateau tout baigné de soleil, la mince silhouette de Rennes-le-Château se découpe sur le ciel.

Une route sinueuse qui monte de la vallée vers le panorama lointain des Pyrénées bleutées, surplombe un paysage à la fois verdoyant et aride où se perdent les tours ruinées d'anciens moulins à vent. Ces vestiges circulaires impriment à ce site le sceau d'une grandeur perdue qui se précise encore quand on arrive au village, à la petite rue étroite et méfiante.

On croirait que les rares maisons encore habitées cherchent à se faire muettes pour mieux sceller encore ce que l'on viendrait leur arracher et que tout, ici, se fait complice pour préserver le secret d'une étonnante épopée qui fit revivre, le temps d'un règne, les vieilles pierres des remparts et les demeures ruinées.

Le royaume de Béranger Saunière ne fut pas illusoire.

Arrivé dans cette pauvre paroisse, jeune curé dépourvu de moyens, il commence par consacrer tout son temps à son ministère, à ses paroissiens, à la pêche, à la chasse et aux études.

Quelques années plus tard, après avoir emprunté à la Municipalité la somme nécessaire à la réparation de l'église, il la rembourse aisément et entreprend bientôt de fréquents voyages.

Puis il se met à de grands travaux. Il restaure

l'église dédiée à sainte Marie-Madeleine, se fait construire un confortable presbytère, aménage des jardins et des serres, entourés d'appartements d'hiver et d'été et fait élever une tour carrée, crénelée comme celle d'un château médiéval.

Sa cure devient un pays de cocagne où il mène une vie de luxe. Il se constitue une importante bibliothèque d'ouvrages rares et précieux, des collections de toutes sortes, reçoit beaucoup et toute la société fréquente le salon de « Béthanie ». Il se montre d'ailleurs fort secourable pour ses paroissiens et très généreux pour ses amis.

Tout cela n'est pas sans intriguer l'Evêché de Carcassonne qui en réfère à Rome et bien que les choses traînent en longueur, en dépit des arguments qu'il fait valoir, Béranger Saunière est suspendu, puis interdit.

Il ne quitta pas pour autant son domaine de Béthanie où il mourut en 1917. Sa bonne, Marie Desnarnaud lui survécut une trentaine d'années. Détentrice d'une grande partie du secret, elle avait promis à l'acquéreur de la propriété de Béthanie, Noël Corbut qui fut son protecteur, de lui révéler ce qu'elle savait. Elle mourut cependant dans une crise d'étouffement sans avoir rien confié.

Le secret demeura donc entier. Depuis soixante ans, les curieux, les chercheurs abondent dans la région et chacun, plus ou moins, continue à demeurer à l'affût de tout ce qui paraît constituer un indice nouveau.

Le gouvernement français paraît même disposé à subventionner des fouilles suivant des données établies par un chercheur strasbourgeois. Mais le règne de l'or n'est pas éteint à Rennes-le-Château et dans les environs. Les marchands de billets de la Loterie Nationale affirment y détenir le record dans la vente des billets gagnants, pour les plus gros lots.

D'après les estimations, l'abbé Saunière aurait dépensé plus d'un milliard et demi de francs-or, ce qui est énorme. On se demande donc à juste titre où il a pu trouver cette immense fortune et surtout s'il a laissé quelques indications susceptibles de mener à la source.

Ces indications sont en fait nombreuses, mais elles demeurent parfaitement sybillines. Les plus importantes sont dans la chapelle qu'il a fait restaurer où s'anime d'une vie étrange tout un peuple de statues dont les yeux de verre lancent d'énigmatiques lueurs. Un grand panneau mural montre une douzaine de personnages, yeux luisants et grandeur nature, mimant une scène paisible et muette devant un Christ majestueux. Au bout d'une corde pend un sac déchiré, figurant sans doute le trésor et les moyens qu'il faut utiliser pour y puiser.

Au bas du panneau, une inscription frappe le regard : « Vous tous qui ETES ACCABLES, venez à moi. »

ETE SAC CABLES...? ETE SAC C A BLES...? ETES A C CABLES...?

Les phrases obscures à double sens ne manquent pas et l'on se trouve devant un labyrinthe tortueux et embrouillé à souhait. Sous l'autel, un retable représentant Marie-Madeleine complique encore les données.

Un diable tordu, grimaçant, qui porte sur son dos quatre anges traçant le signe de la croix, attend le visiteur près du seuil. Et si la curiosité pousse l'amateur à examiner ensuite, à l'extérieur, le calvaire et ce qui l'entoure, des connaissances ésotériques, même rudimentaires, lui suffisent pour constater que le parement de brique du mur d'enceinte est disposé par jeux de trois briques tandis que la maçonnerie qui entoure le grand bassin les assemble par groupes de quatre.

C'est là que l'abbé Saunière aimait à venir méditer. Assis sur la margelle du bassin, il passait de longues heures dans une sorte de douloureuse prostration. Aux dires de ceux qui l'ont personnellement connu — et il en existe encore à Rennes et à Couiza — son visage devenait tourmenté et il fixait d'un regard angoissé un point, toujours le même. Ses transes pouvaient parfois durer très longtemps.

De cet endroit, la vue découvre, à l'horizon, des cimes enveloppées de brume vaporeuse, entourant le vaste plateau qui, depuis le repaire de Rennes, s'étale dans le panorama jusqu'au pied du Bézu dont la masse, plus proche, se fait écrasante et altière.

A droite, quelques fermes parsèment de taches rouges et blanches la monotonie du site et rompent, de-ci de-là, son attristante solitude.

A gauche, des étendues boisées grimpent à l'assaut des collines d'où émergent, au loin, brillantes sous le soleil, les pointes irrégulières des mégalithes et des arêtes rocheuses.

Sur cette parcelle du Razès qui fut le royaume de Saunière, règne toujours la même énigme et c'est en vain que l'on scrute le moindre détail afin d'y découvrir un signe qui puisse en être la clé.

On ne la trouve pas davantage quand, après avoir

examiné la Tour Magdala, on pénètre dans le jardin inquiétant qui entoure Béthanie.

Et si les pas du visiteur le conduisent à gauche de l'allée, face au Calvaire, il pourra y voir une Vierge de Lourdes, de facture banale, posée sur un curieux pilier où sont gravés deux mots : « Pénitence, Pénitence », les paroles que la Vierge dit à Bernadette à Lourdes.

Un A et un M entrelacés sont surmontés d'une croix entourée de motifs décoratifs.

Au cimetière du village, il est possible de voir la tombe de celui qui défraya la chronique et son piteux état ne témoigne guère de la reconnaissance de ceux qui bénéficièrent de ses générosités.

C'est dans ce cimetière, dit-on, que se déroula la première étape des découvertes de Béranger Saunière.

Une douzaine de kilomètres — quatre seulement à vol d'oiseau — séparent le village de la petite station thermale de Rennes-les-Bains. Il n'y manque pas non plus d'indications, encourageantes ou illusoires.

L'énigme s'y complique encore avec les pierres tombales du cimetière. Plusieurs dalles portent le nom d'un même personnage, Paul Urbain de Fleury, avec des dates de naissance et de décès différentes bien qu'il s'agisse d'un seul et même individu.

Sur une autre pierre est gravé le nom de Jean Vier qui fut curé de Rennes-les-Bains, avec une date qui se rapporte à 1-7 ou 17.

Dans l'église, plus calme et plus discrète que celle de Rennes-le-Château, un tableau représente une Descente de Croix.

Un Christ de teinte blafarde est étendu et, à proxi-

130

mité, sur un plateau d'argent, une couronne d'épines semblable à une gigantesque araignée. Le détail le plus curieux est celui du genou du Christ où figure une tête de lièvre.

Or, en symbolisme, le Lièvre représente le Trésor, tout comme le Vase que tient Marie-Madeleine dans l'église de l'abbé Saunière.

Son confrère, le curé de Rennes-les-Bains, se nommait l'abbé Boudet. Un temps, ils semblèrent assez liés. Il est probable qu'ils furent tous deux les élèves de l'abbé Cayron, curé de la commune de Saint-Laurent-de-la-Cabrerisse qui les aurait « initiés » à certains secrets.

C'est dans l'église de cette paroisse que l'on trouve une autre indication. Au-dessus d'une voûte de la nef, une peinture représente deux femmes, pareillement vêtues d'une robe bleu sombre. Celle de gauche, ligotée par des cordes, cherche à saisir une croix tenue par l'autre assise un peu plus haut, sur un nuage. Elle n'est pas libre non plus de ses mouvements et dans l'autre main elle tient un vase.

Ces deux femmes sont les deux Reines ou les deux Rennes, celle de la vallée et celle bâtie sur l'éperon rocheux. A cette dernière appartient le trésor, mais il ne sera accessible qu'à condition d'atteindre la croix située en hauteur.

Mais on ne rencontre aucune croix sur le plateau.

Le Vase nous échappe, il faut donc courir le Lièvre.

Comme le fit l'abbé Saunière et sans doute aussi l'abbé Boudet, dans un but moins intéressé.

Peut-être fut-il le compagnon des premières recherches? Car ce prêtre connaissait fort bien la région. Il écrivit d'ailleurs un livre sur les mégalithes dont il dressa même la carte, donnant aux différents sites des noms d'origines anglaise, allemande et flamande. Son ouvrage comporte également des indications sur la Colline du BLE qui, pour lui, signifie l'or et il y décrit allégoriquement le chemin qui permet d'accéder à un lieu secret où, après avoir affronté toutes sortes de péripéties, il est permis de « piller ».

Il est également question de « têtes placées sous un même toit ». Or, aux Charbonnières, au milieu d'énormes blocs, semblables à de gigantesques menhirs, se trouvent trois têtes que l'on distingue parfaitement sous les rayons du soleil à une date déterminée. Une rangée de menhirs suit la cime des collines et l'un d'eux, par sa forme, se rapproche du symbole 17.

Tout au long du récit de l'abbé Boudet, toujours suivant des appellations fantaisistes ou déformées, on retrouve les sites des mégalithes dont le Diable de l'église de Rennes-le-Château rappelle et réunit le message.

Ce Diable bancal fait, de sa main droite, un signe particulier. Le pouce et l'index forment un cercle tandis que les autres doigts sont tendus. C'est le « Signe du Lièvre » reproduisant le museau, l'œil et les oreilles du rapide quadrupède dont la tête figure sur le genou du Christ dans le tableau de Rennes-les-Bains.

Entre les deux Rennes, il existe la « Fontaine du Cercle » et, à proximité, le « Fauteuil du Diable », au sommet d'une colline dominant Rennes-les-Bains puis, le « Plat de la Coste » reproduit également sur la poitrine de la statue de Satan.

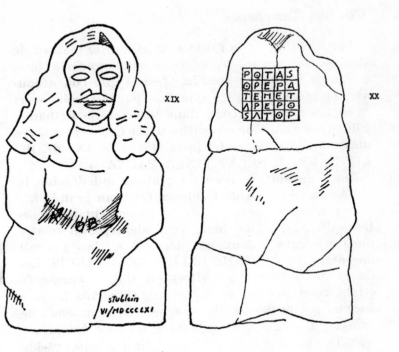

XIX

XX

La tête de Dagobert gravée en 700 ap. J.-C. sur un menhir du Pla de las Brugos à Rennes-les-Bains

Gravure au dos de la tête de Saint-Dagobert 651 à 679

D'après dessins originaux d'Eugène Stublein publiés en 1884, réédités par l'abbé Joseph Courtaly en avril 1962

Dessin milieu de couverture du livre de l'Abbé Courtaly

133

Par le « Plat de la Coste » on atteint le plateau de Rennes sur lequel s'élevait la commanderie templière de la Coume Sourde. C'est là que l'on découvrit la plaque sculptée que l'on pouvait voir, voici quelques années encore, dans la serre de Béthanie. Elle représentait une branche de la Croix Templière alchimique, avec cette inscription : « IN MEDIO LINEA UBI M SECAT LINEA PARVA. »

A cet endroit, le bord du plateau qui domine la vallée du Ruisseau de Couleurs trace un grand M.

Une seconde plaque avait été également transportée à Béthanie. Une ligne verticale séparait quatre mots superposés deux par deux et au bas figurait une araignée : REDDIS CELLIS REGIS ARCIS. Les Caves de Rennes, les Coffres du Roi et l'araignée symbolisant Rennes, la Reine qui, en patois languedocien se prononce la Rayne, très proche de l'aragne, l'araignée, de sa toile et du fil d'Ariane [1].

Enfin, la dernière indication importante réside dans l'orientation de la Tour que l'abbé Saunière fit élever. Il la nomma MAGDALA, probablement d'après Magdalena, Marie-Madeleine, sœur de Lazare de Béthanie, pécheresse repentante qui versa sur les pieds du Seigneur les parfums qu'elle avait apportés dans un vase.

M. G. D. L. sont les lettres qui ressortent de la Croix alchimique si l'on suit les indications données par l'iconographie de l'abbé Saunière et si on les recherche suivant le signe de croix : IN HOC SIGNO

---

1. Les deux lignes verticales latérales se traduisent par : *Et in Arcadia Ego.*

VINCES [1] que tracent les quatre anges que soutient
le Diable.

Il faut vaincre, en effet, et l'abbé Saunière avait
bien vaincu les Gardiens du seuil qui veillaient
depuis plus d'un millénaire sur l'un des grands trésors confiés au royaume des Ombres.

---

1. Par ce signe, tu vaincras.

17

UN LIEVRE PAS COMME LES AUTRES

Comment l'abbé Saunière réussit-il à vaincre?

Le hasard le servit beaucoup mais si l'on ne croit pas au hasard, on peut admettre que le destin lui offrit sa chance. Il sut, à n'en pas douter, en tirer bon profit.

Un jour, en 1883 ou 1884, un homme qu'il ne connaissait pas se présenta chez l'Abbé. Il était notaire à Quillan et avait entendu vanter les qualités de latiniste de Saunière. Il exposa avec quelque gêne qu'il souhaitait obtenir le concours de l'Abbé pour une affaire délicate. Il s'agissait de rédiger en latin un texte qui permettrait au notaire de prétendre à la succession de certaines terres d'Urbain de Fleury.

Cette demande peu orthodoxe piqua la curiosité de l'Abbé qui, au fil des mois, finit par comprendre que le notaire avait trouvé, parmi les vieux documents de son étude, certains papiers qui l'avaient mis sur la piste d'un trésor.

Bien entendu, le notaire ne les lui montra jamais. Mais Saunière en apprit sans doute assez pour entreprendre lui-même des recherches dont il ne souffla mot au notaire.

C'est alors qu'on le vit passer de longues heures à gratter une pierre tombale dans son cimetière de Rennes-le-Château. C'était celle de Marie d'Âbles de Négri, Dame de Blanchefort, décédée le 17 janvier 1781.

Cette dalle présentait en effet, pour des yeux scrutateurs, quelques curieuses anomalies. L'inscription fut entièrement effacée mais ne disparut cependant pas à tout jamais. Un archéologue carcassonnais l'avait relevée avant l'arrivée de Saunière à Rennes.

Mais ce que personne ne vit, c'est que le curé avait ouvert la tombe. Sans doute y découvrit-il ce qu'il cherchait. Ce que l'on sait, en tout cas, c'est qu'il informa l'Evêque de Carcassonne de la découverte de parchemins anciens dans un pilier creux de l'autel dont il avait entrepris la restauration. L'Evêque, intéressé, lui donna l'argent nécessaire pour se rendre à Paris et faire traduire les documents. Saunière s'exécuta mais il est probable que l'Evêque ne reçut jamais copie exacte de cette traduction.

De retour à Rennes, Saunière entreprit quelques fouilles dans le sol de l'église. A leur étonnement, ses ouvriers furent renvoyés dès qu'une espèce de marmite eut été mise au jour. Le curé indiqua qu'il désirait rester seul pour l'ouvrir. Elle contenait quelques pièces d'or au milieu d'ossements et de crânes portant les marques d'une perforation rituelle, probablement wisigothique[1]. La tête sculptée qui se

---

1. Il existe au musée Machado de Castro, à Coimbra, au Portugal, une pierre tombale représentant un Christ magnifiquement drapé et dont le crâne porte également la marque d'une perforation rituelle. Cette sculpture daterait du xve siècle.

trouve au presbytère de Rennes-les-Bains et que l'on dit provenir d'un menhir, porte une marque semblable. Elle paraît cependant n'être qu'une copie, d'exécution plus récente.

Les choses en étaient là à l'automne 1885 quand le notaire vint annoncer à Saunière qu'il était enfin sur la piste et que ses recherches allaient aboutir. L'Abbé le plaisanta et lui dit qu'il ne croyait pas à son histoire, si peu, même, qu'il était prêt à parier cent mille francs, assuré qu'il était de n'avoir jamais à les verser!

Le pari tint jusqu'au jour où, peu après, le notaire tout excité vint informer le curé qu'il avait eu tort de se moquer car il avait trouvé le trésor. L'abbé Saunière convint de l'accompagner le lendemain à la chasse pour vérifier ses allégations.

Que se passa-t-il exactement ce jour-là, 24 octobre 1885? Les enfants du patronage avaient escorté les chasseurs pendant un bout de leur course. Ils entendirent de loin les appels de l'Abbé qui les retrouva à mi-chemin. Il saignait abondamment et enjoignit aux enfants de courir chercher un médecin. Un malheur était survenu là-haut tandis qu'ils chassaient et un bloc de pierre s'était effondré. Le notaire était au plus mal. Il était mort, en fait, quand le médecin arriva.

Tragiques circonstances qui préludèrent à l'énigme qui se posera plus tard au sujet du trésor de Saunière et des circonstances non moins dramatiques viendront pour un temps mettre leur sanglant point d'interrogation à ce nouveau chapitre de l'histoire de l'Or du Temple.

Près d'un an s'écoula. L'on vit ensuite l'Abbé parcourir la campagne, une hotte sur le dos, ramassant des pierres, accompagné de sa bonne. Il voulait, disait-il, édifier près du cimetière une réplique de la grotte de Lourdes.

Un jour, à proximité d'un lieu où le curé se rendait souvent, vers le Ruisseau de Couleurs, on ramassa les débris d'une statue en or, à moitié fondue...

Une vie nouvelle commençait pour le pauvre curé de Rennes-le-Château. Pour lui, une légende que l'on racontait dans le pays était devenue une réalité.

Au XVIIIe siècle, un berger du nom de Paris qui gardait paisiblement ses troupeaux sur une colline des environs, avait vu l'une de ses brebis disparaître dans une faille rocheuse. Le gardien la suivit et lorsqu'il ressortit, il descendit en toute hâte au village. Ses poches étaient remplies d'or. Mais au lieu de s'attirer des compliments, on le traita de menteur. Il passa pour un voleur et fut bientôt pendu.

Saunière et le notaire empruntèrent sans doute le même passage que le malheureux berger, mais l'Abbé eut soin de n'en rien révéler à ses ouailles. Il venait de mettre la main sur le trésor qu'Alaric 1er avait dérobé à Rome et que les Wisigoths enfouirent à Rennes.

Mais la découverte d'un tel trésor comportait une charge et une responsabilité. S'il n'en révélait pas le secret, il se trouvait tenu de laisser aux chercheurs futurs certaines indications.

Historien, il consacra ses loisirs à des études sur la civilisation wisigothique et écrivit un ouvrage sur les familles wisigothiques du Razès.

En d'autres matières, cependant, ses connaissances étaient insuffisantes. Il se rendit à Versailles auprès d'un professeur d'astronomie, du nom de Necker, qui l'initia aux sciences qui lui étaient nécessaires. A la suite de quoi, il fit exécuter le panneau de l'église et établit lui-même le plan de la Tour Magdala dont l'orientation devait correspondre à une vérité cosmique.

Ayant ainsi rempli ses obligations vis-à-vis des règles universelles, il espérait pouvoir vivre tranquille et heureux. Mais les lois ecclésiastiques étaient en mesure de lui causer des soucis. Elles n'y manquèrent pas. Jalousie de confrères désappointés, de supérieurs hiérarchiques envieux de cette prodigalité du sort? Sans doute son initiation sacerdotale et ésotérique permit-elle à Saunière d'échapper en partie à la malédiction séculaire qui s'attache à tout détenteur de cet or magique et sacré, mais il n'en paya pas moins un lourd tribut moral.

Le trésor wisigothique s'était enrichi au cours des siècles. Blanche de Castille, alors régente du Royaume de France, voulant faire parvenir aux Espagnols des subsides destinés à soutenir leur effort de guerre, avait dépêché vers eux de lourds chariots chargés d'or. Mais la chance ayant tourné, les chariots ne purent franchir les Pyrénées et les seigneurs de Blanchefort furent priés de veiller sur la cargaison. Ils la mirent en lieu sûr.

La tradition se conserva dans la famille de Blanchefort, assez vaguement sans doute, jusqu'au jour où l'une de ses descendantes examina de plus près les archives familiales parmi lesquelles elle découvrit des documents dont elle parla à son confesseur.

Ce fut précisément la dalle funéraire de cette Dame qui intéressa si fort l'abbé Saunière.

Quant au confesseur, il n'était autre que l'un des anciens curés de Rennes-le-Château, un certain abbé Bigou qui, ayant refusé de prêter serment à la Constituante, au début de la Révolution, dut s'enfuir en Espagne où il mourut deux ans plus tard.

Auparavant, il avait confié à un notaire dont il était sûr, certains papiers personnels qu'il voulait préserver dans la tourmente qui s'abattait alors sur la France.

Personne ne prit sans doute connaissance de ces documents jusqu'au jour où l'un des successeurs de l'étude y mit son nez. L'abbé Bigou avait consigné pour son usage personnel les indications qui figuraient sur les parchemins de la famille de Blanchefort et que sa pénitente lui avait confiés afin qu'il les mît dans son cercueil au moment de sa mort. C'est lui qui rédigea l'inscription funéraire de Marie d'Ables de Négri, Dame d'Hautpoul de Blanchefort, décédée le 17 janvier 1781. Elle débutait par CT GIT [1].

Dans l'alphabet, entre C et T, il y a effectivement dix-sept lettres, ce que rappelait par deux fois la date de décès mentionnée. C'était également se rapprocher du menhir formant 17 et de la pierre tombale de l'abbé Jean Vier.

Le 17 janvier est aussi la fête de saint Antoine l'Ermite. C'était donc par saint Antoine retrouver l'Ermitage du plateau de Rennes et le dolmen de l'Ermitage où l'on avait mis au jour les pierres gravées templières.

Pendant vingt-six ans, l'abbé Saunière pourra jouir de sa chance inespérée.

---

1. La cryptographie était fort à la mode au XVIIIᵉ siècle.

Curieuse destinée, en effet, que celle de ce curé qui trouva encore le moyen de mourir le 17 janvier 1917. Le hasard avait encore voulu qu'il existât un écart de dix-sept lettres entre les initiales de Béranger Saunière.

Mais 17 est encore la moitié de 34 et 171 — ou 17 janvier — c'est également cinq fois 34 + Un, la Connaissance du 34, celle des Templiers qui inclut la Tradition wisigothique.

Dans la région de Rennes, on raconte bien des légendes.

Il en est une qui retrace l'histoire d'une ville qui s'étendait sur le plateau depuis l'éperon rocheux jusqu'aux limites du Ruisseau de Couleurs et de l'Ermitage.

Dans cette cité, il y avait 30 000 habitants et dans l'une de ses rues, il y avait 40 bouchers.

C'est apparemment une anecdote, bien qu'il soit quelque peu surprenant d'imaginer quarante étals de bouchers dans une même rue.

Mais la signification est différente. Le « Boucher » est celui qui tue le « Bœuf ». Il s'apparente au Bouvier de la constellation.

Il faut avoir observé le ciel, la nuit de Noël 1970 en cet endroit!

Un ciel exceptionnel, tel qu'il ne se reproduira que dans huit cents ans, tel qu'il fut aussi huit cents ans plus tôt, tandis que Gualdim Païs entreprenait la construction du château templier d'Almourol sur le Tage!

Cette nuit-là, vers l'est, quatre planètes se trouvaient dans la constellation de la Balance : Vénus,

143

Jupiter, Mars et la Lune, tandis que Saturne se couchait en Bélier.

Arcturus se trouvait juste au-dessus du plateau de Rennes, mais la Couronne — l'œil du Lièvre — se situait au-dessus d'un point légèrement écarté, confirmé, à l'opposé, par Orion, le Gardien de la constellation du Lièvre, et le Bélier où se couchait Saturne, le Grand Maître des Richesses souterraines.

Chaque étoile de l'Hydre Femelle correspondait au sommet d'un menhir et celui au Nombre 17 déterminait, en outre, la direction de Régulus.

Le 17 janvier, la constellation de la Coupe venait se placer au-dessus des Charbonnières. La Coupe, c'est le Vase. C'est là que se trouvait le trésor lorsque Saunière le découvrit. Il y substitua un autre gîte, celui du Lièvre que surveille la Tour Magdala, pendant que Magdalena et les Sources de la Madeleine versent leurs parfums sur le bord du Ruisseau de l'Homme Mort.

Ne soyons donc pas surpris de trouver dans l'église Marie-Madeleine de Rennes-le-Château la statue de la sainte, regardant saint Antoine l'Ermite qui verra, le 17 janvier à midi, les rayons du soleil pénétrer au centre du portail et lécher l'inscription : « Hoc Locus Terribilis est », ce lieu est terrible.

C'est l'introït d'une messe de dédidace à saint Michel. Ce saint ne figure pas parmi les effigies du plus pur style saint-sulpicien que l'abbé Saunière choisit pour son église.

A n'en pas douter, la statue de saint Michel qui renverse le Dragon, sera retrouvée près du fameux dépôt, lorsqu'il aura été découvert. Il est le Gardien d'un Seuil qui ne peut se franchir qu'après le 29 septembre, quand la constellation du Dragon se trouve la tête en bas.

Et le 17 janvier est aussi la fête de saint Genou, l'initié qui découvre son genou gauche et que rappelle le Christ du panneau de Rennes-les-Bains.

17 janvier des menhirs, 17 janvier de la pierre tombale de la comtesse de Blanchefort, 17 janvier de la mort de l'abbé Saunière !

Face au menhir triple qui reçoit le soleil au midi vrai du 17 janvier, une bergerie est installée dans une très ancienne bâtisse dont la majeure partie est très délabrée. Sur un linteau en pierre, une inscription gravée porte une date : 1146. C'est à proximité de cet endroit qu'un paysan retrouva, voici près d'une centaine d'années, un bloc d'or fondu, perdu en ce point peut-être sept siècles auparavant.

Dans cette zone, il existe en effet des traces de fondations d'archaïques habitations. Ce furent sans doute celles des fondeurs germains que les Templiers employèrent pour l'exploitation des mines ou des filons d'une autre veine.

Venus de l'est, eux aussi, ils pouvaient sous des cieux nouveaux contempler encore la constellation du Bouvier. Dénommée Orus dans l'Antiquité, elle rejoignait la légende de Thésée — Thes-Orus, le trésor — luttant contre le Minotaure à tête de Taureau, image des forces telluriques dévorantes.

18

LES SAINTS EN ARCADIE[1]

En suivant la curieuse liaison qui s'établit à travers les différents symbolismes, conservant toujours — qu'ils soient religieux ou profanes — le sens précieux du sacré, nous rencontrons sans surprise saint Luc en compagnie de son attribut, le Bœuf. Et l'iconographie chrétienne représente l'évangéliste lui-même parfois avec le corps, parfois avec la tête de cet animal.

Ce n'est donc toujours pas par hasard que le calendrier a fixé sa fête au 18 octobre, quand la constellation du Bouvier occupe l'orient au lever du jour.

Vingt-six jours avant, la constellation d'Hercule, un surhomme fils des Dieux ou bien un ange, aura occupé cette même place, tandis que huit jours plus tard, la constellation du Dragon, la tête en bas, marquera la fête de saint Michel[2].

---

1. Il a été souvent fait allusion, à propos de l'affaire Saunière, au tableau de Poussin *Les Bergers d'Arcadie* comme se rapportant à une plaque trouvée à Rennes-le-Château dont nous croyons, quant à nous, qu'elle fut probablement gravée par l'abbé Bigou.

2. Ou 26° sur le cercle solaire des jours plus 8°, formant l'angle de 34° que nous connaissons bien.

L'Ange précède donc l'Archange qui le suit 34 jours plus tard. Mais la victoire de l'Archange qui vient seulement de terrasser le Dragon ne sera consommée vraiment que lorsqu'on le verra dominer, en position nord, le monstre dont la tête retombe vers le sud. Le triomphe de saint Michel n'éclate donc que le 29 juin, sous les auspices de saint Pierre.

Pourquoi fête-t-on saint Pierre ce jour-là? Tout simplement parce que la magnifique constellation d'Ophiucus forme avec la Tête et la Queue du Serpent cet ensemble d'étoiles que les Anciens appelaient le Serpentaire et que celui-ci, brandissant ses deux Serpents, fut assimilé au Gardien chrétien qui détient les deux clés du Paradis céleste.

C'est ce jour-là que les affaires se corsent à Rennes-le-Château!

Car c'est bien de château qu'il s'agit. Château de Rennes qui déjà aux temps wisigothiques dominait le plateau, plus tard château des familles de Voisins et d'Hautpoul. Actuellement un peu délabré, il garde malgré l'âge et les siècles, les traces d'une ancienne grandeur campagnarde et le mystère des demeures ancestrales.

Nous qui cherchions en vain la statue de saint Michel dissimulée quelque part, afin de compléter l'iconographie de l'abbé Saunière, voici que nous trouvons maintenant une chapelle Saint-Michel et, un peu plus bas vers le sud, toujours sur le piton de Rennes, les traces d'une ancienne église Saint-Pierre, détruite on ne sait plus quand.

Ce sont bien là nos deux saints du 29 juin!

En cette nuit de la fête de saint Pierre, le Serpentaire qui inspira aux Anciens le mythe de Thésée, marque le sud pendant que « l'Ange-Hercule » pousse les Bœufs devant lui et qu'Arcturus peut nous conduire en l'Arcadie de Poussin puisqu'on retrouve le Bouvier en compagnie de la Vierge-Muse, tandis que Vénus, « l'Etoile des Bergers » est juste au milieu du Sagittaire.

Mais c'est le 17 janvier, à minuit, que le Dragon se redresse, indiquant le passage invisible d'une ligne tellurique recoupée alors précisément par le tracé du méridien terrestre de Paris.

Lors de l'un de ses voyages à Paris, l'abbé Saunière aura-t-il songé à y rechercher le point indiquant le passage de ce méridien? Rien n'interdit de penser qu'il l'ait effectivement trouvé, là où on le voit encore, sur l'obélisque de pierre qui dressé sur son piédestal occupe l'angle nord du transept de l'église Saint-Sulpice.

Sur ce gnomon, une ligne verticale médiane partage le fût de pierre, coupant une étroite ligne transversale sous laquelle on voit, gravés, les deux symboles zodiacaux : Sagittaire et Verseau.

Serait-ce ici l'explication de l'énigme présentée par cette pierre que Saunière fit transporter dans son ancienne serre? « In Medio Linea Ubi M Secat Linea Parva. » Au milieu la ligne où M coupe la ligne plus petite [1].

C'est donc que l'abstraction secrète qui devrait figurer entre Sagittaire et Verseau serait le signe du Capricorne, puisque aussi bien à la mi-nuit de la

---

1. La terminaison de l'accusatif latin, en M, étant supprimée pour les deux derniers mots *linea parva.*

PLAN DU TERTRE DE RENNES-LE-CHATEAU

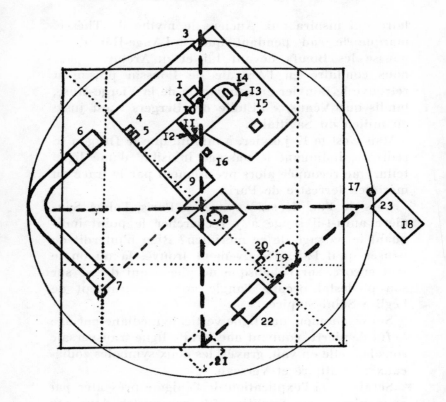

1 Tombe de Marie d'Ables	*13 Autel et tableau Marie-Made-*
2 Closher	*leine*
3 Dalle grattée	*14 Vitrail*
4 Tombe de l'Abbé Saunière	*15 Calvaire*
5 Tombe de Marie Denarnaud	*16 Vierge de Lourdes*
6 Serre du jardin d'hiver	*17 Murier*
7 Tour Magdala	*18 Chateau des d'Hautpoul*
8 Bassin	*19 Ancienne église St Pierre*
9 Béthanie	*20 Clocher*
10 Emplacement de St Antoine	*21 Emplacement Donjon Wisi-*
11 Bénitier	*goth*
12 Panneau mural	*22 Bâtiment communal*
	23 Chapelle St Michel

Saint-Michel le Capricorne paraît au sud et que c'est en fin de constellation que se lève le soleil en janvier, rappelant que la fête de saint Sulpice se célèbre, elle aussi, comme celle de saint Antoine et de saint Genou, un 17 janvier.

Nous sommes arrivés au centre d'un labyrinthe dont les jalons sont de saintes figures ne faisant que préciser les étapes successives du grand labyrinthe étoilé qui nous conduira au « Cimetière des Quatre Apôtres ».

Encore faut-il supposer que ce labyrinthe ait pour point de départ, à l'angle sud du plateau, en face du château, la place où se dressait l'ancien donjon wisigoth, la forteresse ou l'Arka grecque, indication de l'Arcadie, la Terre promise de l'Age d'Or, dans l'arc qu'elle engendre en ce point du territoire qui fut fief des Wisigoths.

L'arc du jour, l'Arca-die, se situe au midi vrai. Pour édifier sa Tour Magdala, l'abbé Saunière retint la position de la chapelle Saint-Michel, l'emplacement de l'ancienne église Saint-Pierre et la place d'un Coffre, d'un cercueil : la tombe de Marie d'Ables de Négri, Dame de Blanchefort, située dans le cimetière, au nord, au pied du clocher de l'église Sainte-Madeleine.

Le 29 septembre, la Grande Ourse surplombant cette tombe lui apporte non seulement confirmation de la vérité archangélique de saint Michel mais aussi de l'appellation de « Cercueil » que les Arabes donnaient à cette constellation...

C'est ainsi que nous pourrons, nous aussi, aller en Arcadie, retrouver le Coffre, les Bouviers et la Vierge, dès le 29 septembre, quand le Lièvre se cache

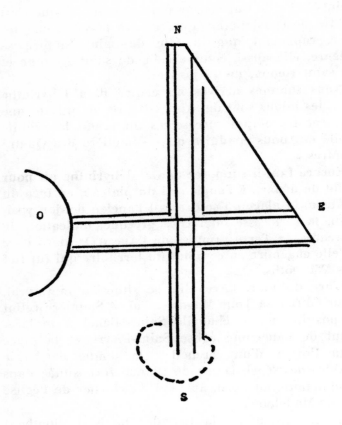

Dessin du graphisme découvert sous la mousse, sur un menhir le 15 octobre 1970

aux pieds d'Orion, le matin au lever du soleil, pendant que le Taureau s'efface vers le sud.

Mais, auparavant, il nous faudra faire le signe de la croix, tel que Saunière l'a inscrit sur « l'atlas diabolique » qu'il a placé au seuil de son église. Car tel sera notre signe de piste [1].

Nous pouvons le tracer sur le plan de Rennes-le-Château, en respectant l'orientation qu'indique saint Antoine dans l'église Marie-Madeleine, et celle de la diagonale de la Tour Magdala.

Nous aurons alors comme centre « M » le bassin aménagé par l'abbé dans son jardin.

Quant au deuxième signe de croix, nous le trouverons gravé sur un menhir, à la pointe sud de l'alignement mégalithique, tout près de la « Tombe de la Dame Blanche » et de son « Peigne d'Or ».

Parvenus en ce point qui est celui du « Guet du Veilleur » attentif, pourrons-nous continuer notre chemin ?

Certes, si nous savons que le chœur d'une église est toujours dirigé vers l'est, soleil levant aux équinoxes, le Salut au Printemps, l'Adoration du « Bélier », signe équinoxial devenu « l'Agneau ».

Il nous suffit simplement, initiés par saint Roch qui montre son genou dévoilé et invités par le Christ qui, les pieds dans l'eau, reçoit le baptême que lui donne saint Jean-Baptiste, de nous préparer à franchir la rivière et rejoindre le signe d'eau et le symbole du Verseau dans la direction que nous a montrée le premier signe de croix.

Là nous attend la confirmation d'un vitrail qui s'illumine au soleil levant : Marie-Magdalena, sous une table, pleure abondamment en lavant les pieds du Christ, alors que, plus bas, sous l'autel, un tableau nous la présente agenouillée, les mains croi-

---

1. Ce signe s'appelle quatre de chiffres ou « Piège à rat ».

sées devant un livre ouvert et une croix de bois mort, à l'entrée d'une grotte significative.

Vers la Madeleine, saint Antoine et saint Pierre nous guident. L'Ermite nous parle d'Ermitage et saint Pierre tient les clés d'un paradis sous terre.

19

LES CLES DE SAINT PIERRE

Si nous partons à la recherche du Gîte qui se cache dans le soleil levant, un grand Chien fera lever le Lièvre. Mais Sirius peut aussi bien dans sa splendeur unique retirer l'ancre du Navire dont les voiles frémissent dans les brumes matinales.

Alors nous serions non seulement invités à une partie de chasse mais encore à une partie de pêche.

Il nous a fallu quitter l'Arcadie et ses paisibles bergers. L'énigme ne réside que dans le ciel, trame unique et fidèle malgré les nuances variées aux couleurs d'Occident ou d'Orient que brodent sur sa toile les mythologies diverses.

Que nous allions des Coffres du Roi au Navire Argo ou que nous revenions au curieux panneau de l'église de Rennes où le Seigneur, le Fils solaire, domine une triangulation énigmatique, la source est la même et les rapprochements demeurent identiques autour d'un centre céleste sur lequel se portent les regards. Le Navire des Argonautes devait conduire à la conquête de la Toison d'Or quand le soleil se levait en Bélier, vers l'est, et que ce Signe se parait de l'éclat solaire.

Et puisque nous sommes au Pays d'Argos, n'oublions pas que la baguette magique du Roi Abas fut l'emblème du pêcheur du Monde Antique.

Il nous faut donc bien aller à la pêche, « sots pêcheurs » que nous sommes sans doute, comme l'a écrit l'abbé Saunière dans un texte qui reste à décrypter.

Mais où peut-on pêcher dans ce vaste domaine qui s'étend à l'ouest, au delà de Rennes-le-Château, depuis la magnifique vallée escarpée du Ruisseau de Couleurs jusqu'à celle de la Blanque qui arrose Rennes-les-Bains?

Le Ruisseau de Couleurs qui fut en son temps une importante rivière, serpente paresseusement entre des roches superbes dans un site à la beauté prenante qui rappelle par endroits la vallée du Colorado.

Hasards des désignations qui confirment souvent des similitudes auxquelles on ne pense guère!

En avançant vers Rennes, l'abrupte falaise rocheuse du rebord du plateau, percée de nombreuses petites grottes, domine les vestiges épars qui rappellent l'ancien peuplement de ces lieux.

Puis, abandonnant là-haut ses bondissantes cascades, le cours devient plus calme en s'approchant de l'Aude.

Bien différente est la vallée de la Blanque. La rivière se glisse entre les collines boisées, comme pour échapper aux regards et se blottir sous l'ombre épaisse des arbres qui la bordent.

S'il lui arrive de longer des parois rocheuses, elle

les quitte bien vite pour regagner entre les monts couverts de chênes et de châtaigniers le chemin qui la conduira à Rennes-les-Bains.

Elle s'étire vers le nord, portant plus loin les bienfaits de ses eaux avant de prendre timidement vers l'ouest, entre le plateau de Rennes et les hauteurs de Coustaussa.

C'est dans une région montagneuse et escarpée, couverte d'une végétation souvent ingrate qu'il faudra rechercher la halte du pêcheur, suivant des points cardinaux et guidé par le souvenir des histoires que le paysage raconte.

Où donc alors peut-on espérer faire fructueuse pêche?

Probablement bien peu dans le Ruisseau de Couleurs et encore moins dans le bras asséché de l'Homme Mort! Ce ne peut être que dans la Salse ou la Blanque.

C'est à proximité de leur confluent, que suivant le récit d'un témoin, on découvrit au milieu des taillis qui surplombent les sources de la Madeleine, une extraordinaire perruque blonde, d'origine peut-être gauloise ou wisigothe.

De quelle secrète cache un animal réussit-il à l'extraire pour la ramener au jour, à proximité de ces collines dont les crêtes se hérissent de menhirs alignés, formant comme une longue arête de pointes dressées vers le ciel que le soleil vient changer en un rutilant « Peigne d'Or »?

Instrument de légende pour une héroïne imaginaire, telle cette mythique Dame Blanche qui reposerait sous une dalle cachée entre les menhirs, confiée à la protection vigilante des têtes géantes, gardiennes de ces lieux.

Têtes dorées qui jaillissent au-dessus des pins et des châtaigniers à certaines heures du jour, quand le soleil veut bien souligner leurs traits et préciser leur regard.

La figure principale, visible depuis la route, prend un petit air penché, protecteur et méditatif, narguant par son impassibilité de sphinx ceux qui cherchent à déchiffrer l'oracle.

Nous sommes à l'entrée de la Colchide du Razès où se cache la Toison d'Or, immense temple lapidaire dont un peuple de géants a édifié les colonnes et taillé les crêtes montagneuses pour façonner le paysage en un site sacré.

Sur les collines environnantes, en des points astronomiques précis, on pourra retrouver le « Cercle » et le « Dé », grosse pierre parallélépipédique, posée de biais sur son socle, comme une table de repos pour le soleil couchant.

Des dolmens parfois énormes se cachent dans la végétation sauvage et des menhirs de tailles différentes paraissent çà et là, à flanc de collines, formant comme un gigantesque cromlech.

Certaines dalles, masses gigantesques, sont placées en équilibre sur des socles bas comme autant de lamelles vibrantes que le vent fait chanter les jours de bourrasques. D'autres mugissent, solitaires et mornes, au sommet de promontoires avancés quand le vent d'ouest vient frapper leurs flancs.

Elles ont pour nom « Rouleurs ».

Quelques menhirs dressant vers le ciel leur fût de pierre énorme forment les gnomons grossiers d'un

158

LE SITE

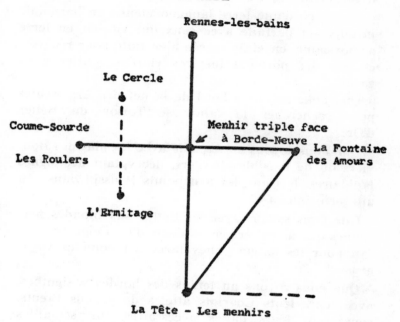

observatoire astronomique étonnant de précision car, à des périodes fixes, les images de la voûte étoilée viennent apporter à chaque élément de ce vaste planétarium leur confirmation céleste.

Les messages reçus sont ceux qu'au cours des âges l'homme aura sû lire dans le grand alphabet dont ces pierres ne sont que les arcanes momentanés.

Œuvres celtes ou pré-celtes pour la plupart ou utilisation par ces peuples d'un ouvrage antérieur, si

159

colossal pourtant que seuls des géants pourraient l'avoir conçu, bouclier immense contre les menaces d'une civilisation de titans!

Cromlech d'une terre languedocienne en harmonie intuitive et parfaite avec ceux qui vibrent en terre armoricaine, enceinte sacrée bien faite pour recevoir ce que des porteurs inspirés vinrent confier à sa garde.

Que nous soyons à bord de la nef des Argonautes pour rechercher la fabuleuse Toison du Bélier d'Or!

Que nous soyons en Arcadie avec les placides Bouviers ou de paisibles Bergers, décryptant des signes lapidaires, tels que les a dépeints Poussin dans son allégorie fameuse!

Que nous soyons avec les Celtes aux blondes perruques qui surent ériger les dents d'un Peigne céleste fait pour les longues chevelures des comètes voyageuses!

Que nous soyons au temps des hordes wisigothes, avec leurs lents Chariots attelés de grands Bœufs, consacrant leurs haltes nécessaires aux semailles prudentes de leurs riches récoltes de « Blés d'Or »!

Que nous soyons avec les hermétistes qui cachent leur Savoir dans un Bestiaire évangélique!

Que nous soyons avec les Pêcheurs puisqu'en araméen Magdala signifie « pour des poissons » et que Saunière érigea sa Tour pour indiquer qu'il sut pêcher des Poissons d'or!

Ou que nous chassions le Lièvre avec une lunette astronomique... Qu'importe!

Tout se tient, tout se ressemble et chaque énigme

Fenêtre manuéline du couvent du Christ de Tomar. — Bien que le style ait évolué depuis la fondation de l'Ordre templier, les bases géométriques et cosmogoniques sont demeurées inchangées. (Ph. Yan - Casa de Portugal.)

Tour du Tonnerre à Falicon. — Chaque trou indiqué sur la coque de la nef corres
pond à une niche murale. (Ph. H. Chrétien.)

Église Saint-Jean-Baptiste de Tomar. — Ce bas-relief est fixé sur la
façade, représentant les constellations du Grand Chien, du Lion et de
la Coupe, et donnant l'indication des angles du savoir. (Ph. Béatrice
Lanne.)

Tour du Tonnerre à Falicon. — Ce graffiti tracé au ras du sol représente un guerrier casqué brandissant allègrement une épée. Vision que trente-quatre traits successifs effaceront à tout jamais pour celui qui l'a vécue et espérée. (Ph. H. Chrétien.)

Couvent du Christ de Tomar. — Emblème de l'Ecole de Sagres qui devint la sphère armilaire au Couvent du Christ. La banderole oblique précise bien l'angle de 34°. (Arch. Casa de Portugal.)

Commanderie de Vilcrose, près de Draguignan. — Pierre en forme d'aigle, découverte par M. Pain. A l'origine elle portait quantité de traces de produits divers dont celle de sulfate de baryte, qui lui donnèrent des colorations magnifiquement nuancées. (Ph. Daniel Lauquin.)

L'œuf alchimique. — Dans les ruines de l'ancien château templier de Tomar, l'œuf rappelle que le lieu fut propice et le Grand Œuvre possible. (Ph. Béatrice Lanne.)

Château templier de Tomar. — L'orifice du puits qui s'ouvre dans la cour de l'ancien château recouvre une grande salle dont les divers accès ont été murés. (Ph. Béatrice Lanne.)

Porte manuéline du couvent du Christ, Tomar. — Comme à Saint-Jacques-de-Compostelle, les sculptures des cintres indiquent le mode et les temps propices pour réaliser l'œuvre parfaite. (Ph. Casa du Portugal.)

« Œil-de-bœuf » manuélin. Tomar. Cette décoration d'ogive n'est que la répétition constante des angles de 17 et 34°, comme d'ailleurs cet œil-de-bœuf dont le cercle extérieur est trois, quatre fois plus grand que le cercle intérieur. Les cordages sont à 34° de part et d'autre. (Ph. Yan - Casa de Portugal.)

Chapelle Notre-Dame-des-Oliviers à Tomar. — Plusieurs années après sa mort, les restes du chevalier Gualdim Païs furent placés derrière cette plaque dans la chapelle qui conserve toute la tradition ésotérique. (Ph. Béatrice Lanne.)

Pierre wisigothe. Couvent de Sainte-Iria, Tomar. — Depuis l'angle du couvent, ce bœuf impassible surveille de ses yeux vides la rivière Nabao, dans laquelle périt Sainte-Iria. (Ph. Rodriguès Ferreira.)

aboutit au même point : celui que veillent les étoiles.

Nous pourrons comprendre alors comment le curé de Rennes-le-Château sut trouver l'angle qu'il convient de donner à sa ligne quand on veut faire bonne pêche.

LES LÉGENDES

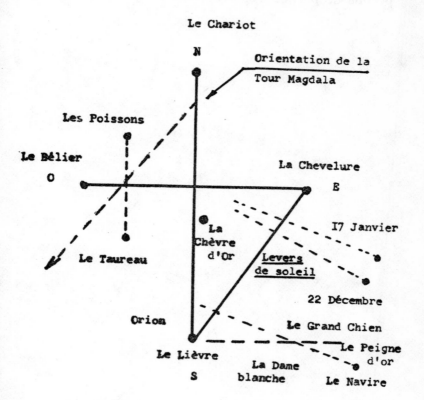

L'Or des Templiers

Avec le Peigne d'Or, sous le regard de l'Archange, des Argonautes du xxᵉ siècle viennent toujours coiffer les cheveux d'or de la Dame Blanche, maîtresse d'un Grand Chien qui mord la queue d'un Lièvre, sans qu'Orion ne puisse tirer de son baudrier à triple étoile son glaive effilé.

Heureux seront ceux-là qui entre la saint Michel et le 17 janvier obtiendront d'un garde-chasse un permis de pêche!

20

QUAND LES BŒUFS VOYAGENT

A Rennes-le-Château s'étaient donc donné rendez-vous des « Bouchers » et des « Bergers ».

Par coïncidence, la légende avait attribué au malheureux berger[1], victime de l'incrédulité des villageois, le nom de Pâris, se rattachant à la source grecque en même temps qu'à la Tradition égyptienne — Par-Isis — et au Bœuf Apis.

La région du Razès tire son nom du dieu celtique Ar-Red, le Serpent du Feu ou de la Foudre et son point culminant, le Bézu, trouve sa correspondance dans la mythologie égyptienne avec Bès, le génie protecteur dont la plus belle effigie figure à Memphis, dans le Sépulcre des Taureaux Sacrés.

Rennes-le-Château portait autrefois le nom de Redda ou Reddae, proche de rheda, dénomination romaine du chariot qui, en astronomie correspond à la Grande Ourse, la Rhea des Grecs, que l'on désigne également souvent sous le nom de Chariot.

Voici donc une correspondance stellaire et même

---

1. Le berger et son agneau figurent sur le confessionnal de l'abbé Saunière.

constellaire établissant la liaison entre les lieux, le Serpent et le Taureau, constellation qui symbolise le maître du labyrinthe tellurique.

Quant à Rennes-les-Bains ou les Bains de Reynes, elle pourrait tirer son nom du latin Regum [1] avec additif es ou is, lequel désigne l'eau ou la pierre. C'est ainsi que le lis est une pierre levée. Is est également l'abréviation d'Isis et l'on trouva d'ailleurs, à Rennes-les-Bains, une statue d'Isis mère, confirmant son culte.

Par ailleurs, si l'on s'en réfère à leur homonyme de Bretagne, Rennes, on peut également penser que les deux localités ont été fondées par l'énigmatique peuplade Redu — Redones en latin — dont une branche aurait pu gagner la vallée de l'Aude.

Rennes-les-Bains fut très réputée à l'époque romaine pour les propriétés de ses eaux tandis que Rennes-le-Château était renommée pour ses minerais divers et précieux.

Tout comme leur sœur se situait, en Bretagne, sur la voie des échanges de l'étain et de l'obsidienne venus d'Angleterre, les deux cités wisigothiques du Razès se trouvaient sur la route menant à l'Espagne, voie des métaux aussi. Rennes-le-Château, comme l'Espagne, possédait des mines qui fournissaient le jais, cette lignite au noir précieux qui concurrençait l'obsidienne.

Depuis l'Age du Bronze, pour le moins, les échanges de pierres précieuses et surtout de métaux assuraient la liaison entre l'Orient et l'Occident.

D'une extrémité à l'autre, l'Ancien Monde était

---

1. D'après A. A. Sabarthès.

sillonné de voies commerciales dont les grands axes se croisaient vers le Moyen-Orient et, depuis les temps les plus reculés, elles contribuaient à la perméabilité réciproque des divers courants de traditions.

Certaines « mystiques » suivaient, s'implantant suivant des lignes de forces privilégiées.

C'est ainsi que sur les routes des métaux, le Moyen-Orient, l'Italie, l'Espagne, le Razès, la Bretagne et l'Angleterre adoptèrent celle du Bœuf, issue de l'Inde.

La connaissance du Cerf suivait, quant à elle, la voie de l'ambre, transportée depuis les régions nordiques, la Baltique, vers la Méditerranée par la route des Alpes ou par la vallée du Danube [1]. Cette voie recoupait les axes est-ouest des grands courants de migrations et les routes commerciales entre l'Extrême-Orient et l'Occident, en Italie du Nord, à l'extrême pointe de la Provence. Là, la route des Alpes était très fréquentée.

Ces courants commerciaux existaient depuis la préhistoire. Bien que situés à l'extrémité ouest de l'Ancien Monde, un peu à l'écart des axes nord-sud, les territoires de notre pays n'en étaient pas moins le point terminal des grandes migrations.

Répondant aux lois qui régissent leurs déplacements, les peuples suivaient le mouvement apparent du soleil, comme pour modeler l'évolution de leurs destinées sur l'arc grandissant de l'astre du jour, à

---

1. On retrouve cette connaissance du Cerf jusqu'à Troie, où l'on a découvert le fameux « Cadran de Dardanié ». Cf. ouvrage déjà cité *Le Berceau des Cathédrales.*

contre-courant de la révolution terrestre qui semblait leur inculquer une impression de non-retour. Ils se guidaient sur la course quotidienne du soleil et surtout sur la rotation, en mouvement apparent, de la voûte céleste.

Refaisant en sens inverse la pérégrination antérieure d'ouest en est qui avait permis l'implantation des mégalithes celtiques jusqu'aux confins de l'Inde et la propagation des sacralisations solaires, différentes races sont venues, en un immense périple, rapporter jusqu'en Austrasie les mythologies solaires et les effigies connues.

C'était le transfert, depuis le cœur de l'Asie jusqu'aux limites de l'Europe, en passant par le point de liaison multiple du Moyen-Orient, des arcanes simplifiés d'une connaissance devenue universelle dans l'Ancien Monde.

Les Bovidés sacrés de l'Inde vinrent rejoindre le Bœuf celte en se mêlant au troupeau vénéré du Bœuf Apis égyptien, du Taureau mycénien et crétois, suivis plus tard du Bœuf à la Charrue des Wisigoths, avant de devenir les bêtes de somme mérovingiennes attelées aux Chariots des Rois Fainéants.

Par un processus identique à celui qui avait donné naissance aux tropiques imaginaires qu'indiquent, aux deux solstices, les constellations du Cancer et du Capricorne, la constellation du Bouvier qui précède au sud le Chariot, à la mi-nuit du solstice d'été — tandis que le Taureau domine au nord — dut inspirer la projection sur terre d'un parallèle tropique et mystique que tous les nomades suivront.

Pourtant, nous avons perdu le fil ancestral. Les

continents se sont effondrés. La voie des alignements de Carnac s'est rompue. Les eaux ont noyé le berceau protohistorique de ce paganisme solaire. La Bretagne s'est maintenue au bord des profondeurs mouvantes. Les menhirs montrent la volonté mystique de ces peuples et les rites qui subsistent prouvent que les coutumes peuvent survivre aussi longtemps que les pierres.

Quelle foi secrète et quel respect sans faille des traditions font que celles-ci survivent dans leurs rites essentiels même lorsqu'elles ont perdu une partie de leur cérémonial?

Nombreux sont les Pardons bretons où le bétail accompagne les processions et où les bœufs sont conduits en pèlerinage pour être placés sous la protection de saint Mathurin, de saint Nicodème ou de saint Cornély.

Rites plusieurs fois millénaires si l'on en juge au mélange d'ossements humains et bovins trouvé dans le tumulus Saint-Michel à Carnac auquel le datage au Carbone 14 attribue cinq mille à cinq mille cinq cents ans et même, pour certains, quatre-vingt-cinq ou quatre-vingt-dix siècles! Il n'est pas impossible que nous soyons ici au berceau même de ces peuplades qui, peu à peu, « civilisèrent » l'Orient.

Menhir, Bœuf, source ou fontaine, c'est cela en Bretagne. Mais ces « témoins » indispensables se retrouvent aussi en bien d'autres lieux.

En regardant la Voie lactée et la fourche qu'elle forme depuis le Cygne jusqu'à l'Aigle, nous ne nous étonnerons nullement de constater que les alignements mégalithiques puissent indiquer deux voies différentes sur la topographie de la France.

167

L'une relie la Manche à la Méditerranée, depuis l'embouchure de la Seine jusqu'à celle du Rhône. L'autre, du nord de l'embouchure de la Loire à celle de l'Aude, établit la jonction entre l'Atlantique et la Méditerranée.

Il existait donc, depuis la Bretagne, deux voies utilitaires et fonctionnelles, commerciales et religieuses ou pour mieux dire sacrées, qui rejoignaient par le cœur de l'Europe les confins asiatiques, chevauchant, par intermittence, les veines telluriques horizontales et verticales. C'est en ces points que, par la suite, se sont élevés sur les lieux dolméniques sacralisés les sanctuaires druidiques des Vierges Noires.

Et sur ces voies sont nées les légendes, images orales d'une connaissance cachée qui, impérissable, survit et se transmet. Le ciel et la terre s'unissent en ces sillons et leurs temps nuptiaux engendrent des phénomènes que l'homme inquiet de sa destinée sur terre, redoutant la mort et soucieux de s'attirer la protection céleste, replace dans le monde du merveilleux, du miraculeux maternellement virginal.

21

UN PACAGE ALPESTRE

Seule la Tradition indienne semble s'être abstenue d'immoler systématiquement l'objet de son culte. A l'inverse de leurs initiateurs, les Crétois offrirent le Taureau en sacrifice rituel et il en fut de même dans le culte de Mithra qui, par la Perse et le centre de l'Europe, gagna l'Italie, le sud de la France, puis l'Espagne.

La tradition celte se perpétua en Bretagne, en Galice et au Portugal. En Provence aussi, où les Celtes formèrent avec les Ligures — au IVe siècle av. J.-C. — la puissante confédération des Salyens. Comme dans les Pardons bretons, les bœufs font en Provence l'objet de cérémonies religieuses et sont les victimes immolées à l'issue de la procession. C'est le rituel du « Bœuf Gras », béni et sacrifié le jour de la saint Marcel, à Barjols dans le Var. Il est probable que le bœuf a pris dans ces cérémonies la place de la victime humaine qui était offerte au cours des cérémonies druidiques, rituel sanglant que le christianisme parvint à abolir.

Sur les coteaux des Alpes de Provence longeant la Méditerranée, nous nous trouvons sur la voie des migrations qui franchissait les Alpes par les cols les plus rapprochés de la mer.

Parmi eux, le col de Tende fut l'un des plus fréquentés par les voyageurs de la première Histoire.

An nord-ouest de Tende, relais entre le Piémont, la Ligurie et la Provence, se trouve la vallée des Merveilles.

Pourquoi ce nom? S'agit-il des merveilles naturelles formées par les massifs rocheux ressemblant à d'énormes dents de scie, acérées, mordant rageusement le ciel bas? S'agit-il des merveilles picturales gravées sur les parois ou bien d'autres merveilles cachées appelant à la curiosité de chercheurs avisés ou patients?

Divers sites existent dans cette vallée dont l'aspect est chaotique, prenant et l'on pourrait dire curieusement magnétique. Son accès demeure malaisé et le refuge le plus proche est distant de plusieurs kilomètres.

Nous sommes ici près du mont Bégo, offrant sa ressemblance avec le mont Bézu et le Bès égyptien et, dans cet immense ensemble rocailleux, partout la même énigme inquiétante, un peu hallucinante, avec tous ces rochers gravés.

Le thème dominant est le « Bucrane », la tête de taureau ou les cornes et ce grand nombre de symboles tauriques incite à penser à un culte solaire en ce lieu initiatique, jalon alpestre millénaire, planté déjà peut-être par les pré-Celtes lors de leurs voyages vers le soleil levant.

Dans les gravures conservées, il en est de toute sorte, de toute taille et de tout âge, mais l'inspiration reste la même.

C'est à juste titre que l'on a qualifié ces symboles de religieux ou plus exactement de sacrés car toute religion ou toute connaissance sacrée n'appuie ses concrétisations que sur une mythologie. Celle-ci n'est que le reflet de la voûte céleste.

Parmi les schémas, certains représentent des visages énigmatiques, baptisés « sorciers » ou « magos », et figurent avant tout des repères astronomiques du soleil à son lever, à son coucher, aux solstices, aux équinoxes. Les cornes ne font que restituer la course du soleil dans le firmament et les autres détails se rapportent à la marche lunaire ou à la position de diverses constellations. Certains graffiti symbolisent celles-ci isolément et l'on retrouve le Serpent, les Gémeaux, l'Hydre, l'Aigle, l'Epée ou des schématisations qui demeurent intraduisibles, ignorants que nous sommes des appellations qu'elles pouvaient avoir.

A la belle saison, des nomades, des bergers avec leurs troupeaux, osaient affronter les orages diluviens et les foudres électriques qu'un sol aussi métallique doit rendre claquants et titanesques.

Dans ce temple à ciel ouvert que la neige recouvre une partie de l'année, où le froid et le vent rendent les abris inhospitaliers et sinistres quand le soleil ne paraît pas pour redonner à ce site sauvage et agressif un visage lumineux et accessible, quelques lacs noirs sont autant de morceaux de ciel tombés sur ces roches arides et ces creux désertiques.

Et presque instinctivement, on songe aux démons, aux masques, aux mauvais génies et à tous les maléfices qu'une telle nature peut transmettre aux bêtes et aux humains qui osent s'aventurer en ces lieux préservés, gardiens de ces métaux enfouis que venaient y chercher des hommes avides de recueillir le minerai pour forger des armes ingénieuses.

Toutes ces têtes de bovidés, de « Taurus », de Tau-aureus, ces bouviers « Orus » et ces sorciers ne seraient-ils pas alors les antiques traces et les repères fixés de recherches métalliques diverses qui ne sont permises et fructueuses qu'aux temps où telle ou telle constellation apparaît dans le ciel entre les points que forment les oreilles ou les bras levés du sorcier?

Pourquoi les principales figurations seraient-elles ainsi accompagnées de bras levés, aux mains tendues, sinon pour inviter à regarder, au-dessus, l'étoile qui fera « ouvrir » ou « tourner » le rocher?

Sorciers et démons ne sont autres que les symboles des génies de la terre dont la mission secrète est de retenir les métaux rares dans les abords souterrains. Ils ne doivent céder leurs richesses que lorsque les cieux l'autorisent, le précisent.

Indications, messages, tout y est. Mais nous ne savons pas les lire.

En ce lieu infernal et métallique, les minéraux fangeux des roches ou des mines ne se livrent qu'à ceux qui emploient des moyens identiques à ceux que pratiquaient les hommes de la préhistoire.

Lieu d'une agriculture précaire, d'une industrie à son balbutiement, d'une alchimie primaire et d'un sacré à l'expression rupestre dont les constellations, toujours, marquent les temps favorables et licites.

Figures de bouviers, de charrues, d'attelages et même des visages dont les cornes rappellent la constellation du Grand Cerf — ancienne dénomination de celle du Lion — divinisé par les Gaulois et précurseur de notre légende de Saint-Hubert[1].

C'est l'ancienne symbolisation du solstice d'été et de l'approche des récoltes, ultime don de cette terre mère, aride, mystérieuse et pourtant si proche des étoiles.

Des peuples descendus du nord sont venus là pour puiser des métaux. Ils ont gravé dans les pierres le souvenir nostalgique de leur savoir ancestral, au milieu des tourmentes et des éclairs galvanisants.

Point de rencontre de tribus diverses au cours des âges, haut lieu de retrouvailles du Cerf nordique et du Taureau méditerranéen, temps de pause tellurique sacré et sacralisé, à la jonction de deux routes venant de Provence et d'Italie par la vallée de la Vésubie et celle de la Gordolasca.

Le sanctuaire préhistorique s'est déplacé au cours des millénaires[2] et se trouve maintenant à quelques kilomètres à Saint-Martin-Vésubie. C'est là qu'empruntant le même chemin, on va en pèlerinage, saluer au mois d'août la madone de Fenestre, Vierge Noire vénérée depuis des siècles, divinisation féminine des forces telluriques positives, souvenir perdu des richesses souterraines et de leurs repères célestes qui paraissent dans le ciel du 25 mars jusqu'au 15 août.

Vallée des Merveilles, inépuisable réserve de

---

1. L'écart entre les bois du Cerf correspond au parcours nord-ouest à nord-est qu'effectue à l'horizon la constellation du Lion — ou Grand Cerf — entre la fête de saint Jacques-le-Majeur et celle de saint Hubert. Entre-temps le Bouvier aura indiqué le temps des vendanges et le Taureau se lèvera à l'est.
2. Par suite de secousses telluriques.

métaux pour ces Phéniciens, Etrusques et Ligures qui s'y approvisionnèrent, laissant sur les rochers la marque de leur adoration aux dieux souterrains et de leurs hommages aux dieux du ciel et aux déesses des constellations.

Redescendant la vallée de la Vésubie, à minuit, au solstice d'été, le Bouvier sera au sud-ouest, indiquant la direction de mire. Le Chariot suivra sa marche et nous pourrons alors accéder en un autre lieu. Forces telluriques et métaux s'y retrouvent.

C'est le mont Chauve, au nord de Nice et il semble aussi « chargé » que les monts du plateau des Merveilles. Des roches calcinées y témoignent de très anciens et très curieux vestiges.

A proximité, à flanc de colline, les restes d'une petite pyramide construite au-dessus d'un aven, une grotte qui fut dédiée un temps au culte de Mithra.

Avec elle, une autre énigme subsiste. Si elle n'a pas l'allure d'un fier monument, elle a quand même son mystère et renferme bien des secrets!

22

UNE PYRAMIDE MEDITERRANEENNE

Discrètement plantée quelques mètres au-dessous d'un sommet, regardant l'historique village de Falicon, elle passe inaperçue si on ne sait la situer dans le panorama[1]. Elle eut pourtant son heure de vénération et de prestige comme elle a maintenant son heure de tristesse et d'abandon.

Venant de Nice, on y accède par l'Aire Saint-Michel et le Hameau des Giaïnes.

La construction modeste, réduite progressivement à l'état de ruines, surplombe un aven, un gouffre de douze mètres de profondeur. Cette grotte souterraine fut, au cours des siècles et même des millénaires, successivement consacrée à divers cultes.

Très tôt, sans doute, elle abrita un culte solaire et l'on peut voir, sur le pilier central, la tête d'un dieu cornu, ancêtre de Mithra, prendre vie dans la lumière du jour.

Les courants telluriques demeurent forts, encore, en ce lieu bien que le réseau hydrographique souter-

---

1. La pyramide a fait l'objet d'une étude détaillée. Cf. *Falidon, pyramide templière*, ouvrage déjà cité.

rain ait été modifié par un tremblement de terre, à la fin du xixᵉ siècle.

Ceux qui édifièrent la Pyramide s'efforcèrent, non pas de rétablir la totalité du symbolisme solaire archaïque, mais d'intégrer celui-ci dans une synthèse de connaissances de source christique.

L'édifice pyramidal avait pour but d'amplifier les forces telluriques.

Si l'on en juge d'après ses repères, compte tenu du décalage astronomique, la construction remonterait aux alentours de l'an 1260.

A cette époque, revenaient de Terre sainte pèlerins et croisés de la Septième Croisade. Un grand nombre d'entre eux étaient atteints de lèpre ou du mal des ardents. Débarquant dans les ports templiers de Monte-Carlo et de Beaulieu, les malades étaient pris en charge par les hospitaliers Antonins et conduits par des routes de l'intérieur jusqu'à Falicon.

Parmi ces hommes affligés de maux incurables, ces guerriers écartés de leurs compagnons dès leur débarquement, il s'en trouvait quelques-uns qui, détenteurs d'une connaissance universelle pour l'époque, devenaient des soutiens, des guides, s'efforçant de recréer l'espoir, de maintenir la foi ardente parmi leurs frères de misère.

Ils découvrirent sur le domaine sanitaire écarté qui leur fut attribué les traces très anciennes, ligures ou préligures, d'un rite sacré, jalons sculptés dans la pierre du savoir de ces imagiers antiques qui les précédèrent en ces lieux quarante ou cinquante siècles auparavant[1].

---

1. Probablement 2800 à 3600 avant J.-C.

Une Pyramide méditerranéenne

Sous la direction d'un « initié » templier, les plus valides entreprirent la construction d'une pyramide, appelée à remplacer un précédent assemblage de pierres. Il ne s'agissait pas d'une réalisation ambitieuse mais d'une construction répondant à des normes curatives bienfaisantes en même temps que protectrices.

Coupés de tout, comme ils l'étaient, le monument devenait également le dépositaire de leurs secrets.

Secret de leurs connaissances architecturale, astronomique, ésotérique, mais secret d'ordre plus concret, plus matérialiste, aussi.

Tous les croisés revenaient de Terre sainte chargés de butin : parts distribuées après les sacs, les pillages, récoltes sanglantes des champs de bataille, trophées disparates, épées et poignards, casques et boucliers, mais aussi bijoux et joyaux de toute provenance.

Chacun préservait son bien. Une partie revenait à l'Eglise, la dîme habituelle; une autre était versée à la communauté qui prenait soin des malades, mais le reste, le plus précieux, était jalousement gardé dans l'attente, le ferme espoir du miracle qui permettrait le retour à la vie.

Il fallait donc entreposer ces richesses en un lieu sûr, connu des seuls propriétaires, en un point différent de celui qui abritait les biens de la communauté religieuse.

Il y avait donc deux dépôts, deux trésors. Et ce sont ces trésors, prises « templières » pour la plupart, qui dorment enfouis depuis des siècles au flanc de la colline.

De précieux indices figurent sur des pierres, à

proximité. Ces signes, conformément à la règle, ne deviennent visibles que sous un certain angle solaire.

Près d'une pierre taillée en forme de tête de lion, saluant Régulus au lever du soleil, à la Saint-Jean d'été, il existe, très abîmée, une tête de taureau. Certaines de ses parties sont éclatées. Elle a été détériorée à coups de marteau comme si l'on avait voulu se venger de son mystère, de son énigmatique message de sphinx.

Et pourtant, à minuit, le 24 décembre, lorsque Sirius fait face à l'entrée de la Pyramide, la tête du Taureau regarde sa constellation et Orion indique où se cache le premier trésor, tandis que le Bouvier, en prolongement de l'angle nord-est de la Pyramide, indiquera le lieu du second.

D'ailleurs, une autre pierre, sculptée en forme de tête et située à hauteur, est pointée en direction de Sirius — Sothis — l'Etoile égyptienne, et baisse les yeux comme pour contempler des marches invisibles.

C'est une pierre hexagonale, formant clé qui permettra l'accès mais comme elle soutient la paroi rocheuse, formée de différents blocs ajustés, il faut attendre le temps où le soleil soit assez fort pour que les pierres supérieures, formant l'armature, se dilatent et maintiennent l'assemblage, évitant que plusieurs tonnes de matériaux ne s'éboulent.

Dans le respect du symbolisme afférent à la tradition à laquelle se rattache la Pyramide et puisqu'il s'agit d'un trésor templier, trois éléments devraient obligatoirement s'y trouver. Premièrement, un coffre contenant les petits objets de valeur, en or, perles et pierres précieuses, accompagnés de parchemins, de divers écrits rapportés eux aussi d'Orient avec quelques riches enluminures. Ce coffre devait être scellé de trois sceaux.

Ensuite, soit une statue de femme, une vierge et plus probablement une Vierge Noire, soit l'effigie d'un archange, saint Michel, sans doute, le maître du Dragon, puisque lors de la fête de Noël, la constellation du Dragon sera renversée dans le ciel.

En dernier lieu, un sarcophage contenant quelques reliques, ossements d'un saint ou autre pieux vestige, béni et préservé.

Ce ternaire « coffre, statue et sarcophage » était obligatoire au temps des Templiers pour remplir toutes les conditions de conservation et de protection requises pour un trésor caché. Le coffre répondait aux correspondances solaires et à ses fluides, susceptibles de continuer la transmutation des métaux entreposés. La statue formait l'objet témoin, réceptacle des influences lunaires et le sarcophage [1] rapportait les indications stellaires au jour anniversaire de la fête du saint dont il contenait les reliques.

Ternaire cosmique, unissant la vie des métaux, des hommes et des « esprits » à un silence céleste que seules les constellations pouvaient rompre.

Et nous arrivons ici au bord de la route templière qui conduit par l'arrière-pays au Val de Croix, à Valcrose, lieu retiré au cœur des Alpes de Provence où les coffres sont plus grands et les statues ont des cœurs enflammés.

---

1. Les astronomes arabes donnaient le nom de « cercueil » à la constellation de la Grande Ourse.

23

LE SAINT ET VERITE

Gisors, nous l'avons vu, se trouve sur une ligne tellurique déviant de 13 degrés par rapport à la verticale et rejoignant Rennes-le-Château. En ce point, elle fait jonction avec une veine horizontale venant des Basses-Alpes.

Dans ce département, un même angle de 13 degrés par rapport à l'horizontale et concordant avec l'Orient nous conduit à Castellane.

A une douzaine de kilomètres vers le sud, subsiste le vieux château de Valcrose. Le site est d'un accès difficile, pratiquement introuvable depuis la route principale et les paysans que l'on rencontre n'en indiquent le chemin qu'avec réticence.

On n'ose pas parler de Valcrose. C'est un lieu étrange.

Un sentier à peine visible, coupé à maints endroits, s'enfonce à travers bois. Après trois kilomètres d'un chemin difficile, il aboutit au château, vieille habitation flanquée de deux tours, étalée au soleil sur l'herbe verte d'un plateau que dominent une paroi rocheuse et un éperon sur lequel subsistent quelques ruines.

L'Or des Templiers

L'actuel propriétaire, un géant septuagénaire, ne parle que lorsqu'il se sent disposé à s'ouvrir à des amis. Alors, il raconte son histoire.

Sa famille habitait la Sibérie. Jeune garçon, il aimait lire et son grand-père possédait une vaste bibliothèque dans laquelle il pouvait à loisir assouvir sa curiosité.

Un jour qu'il ouvrait une vieille bible, un papier jauni tomba sur lequel il était écrit en polonais : « Le trésor des Templiers est enterré dans le Val de Croix. Va et fouille. Le Saint et Vérité te montreront le chemin. » Le document émanait d'un ancêtre qui fut soldat de Bonaparte. Au retour de la Campagne d'Italie, il était passé en Provence.

Le grand-père déclara à son petit-fils qu'ayant trouvé le message, il était choisi par le Destin. Il lui donna le papier.

Les années passèrent. Vint la Grande Guerre, puis la Révolution bolchevique et la famille, quittant la Russie, alla s'installer successivement en Pologne, en Hongrie, en Yougoslavie, puis en Suisse. Le message fut oublié.

En 1948, l'émigré décida d'acquérir une ferme en France. Le hasard — s'il en est encore — voulut que dans le train il rencontrât un couple sympathique auquel il parla de son projet. On lui donna alors l'adresse d'une ferme abandonnée, ayant de belles terres de cultures, dans le Midi. Elle était à vendre. Il s'y rendit. Il trouva non pas une ferme mais un château avec sa chapelle où il remarqua un tableau représentant un saint personnage montrant l'inscription « Veritas ».

Immédiatement le souvenir lui revint du papier

jauni de son enfance. Se sentant à nouveau confirmé par le Destin, il acheta la propriété, s'y installa et se mit à chercher.

Sur l'éperon rocheux, il trouva les ruines d'une ancienne citadelle détruite depuis longtemps.

Divers radiesthésistes et voyantes lui confirmèrent unanimement que Valcrose se trouvait au point de jonction de plusieurs souterrains. L'un descend de la citadelle, l'autre conduit vers une ancienne chapelle templière dédiée à saint Thyers. Un troisième souterrain monte sous la paroi rocheuse. A mi-flanc, pratiquement inaccessibles, subsistent quelques vestiges d'une autre vieille chapelle au vocable de saint Trophime [1]. On y trouva les débris d'un ancien autel et des piliers dont les sculptures datent des tout premiers siècles. Quant à la chapelle Saint-Thyers, près de Robion, elle contenait quelques signes lapidaires. A proximité du bâtiment, on peut voir de nombreuses dépressions dans le sol, marquant l'effondrement des voûtes du souterrain.

On raconte même qu'un homme s'y était aventuré un jour pour tenter d'atteindre la citadelle dans l'espoir de retrouver le trésor. Subitement emmuré, affirment les gens de la région, il ne reparut jamais.

Le nouveau châtelain fouilla les ruines de la citadelle sans aucun résultat et les recherches qu'il entreprit sous le château ne paraissent pas avoir encore abouti.

Les indications essentielles émanent du tableau de

---

1. Saint Thyers et saint Trophime, encore deux « Tau ».

la chapelle attenante à l'habitation. La toile fut exécutée en 1715 à la demande de l'un des propriétaires de l'époque. Celui-ci, après avoir découvert le dépôt et prélevé une partie du trésor, aurait laissé, conformément aux impératifs en la matière, le message destiné aux amateurs à venir.

On peut y voir un saint Evêque mitré, la crosse reposant sur un bras appuyé à une table de travail. Une jambe avance vers la droite et la main gauche élève un cœur flamboyant, surmonté du mot « Veritas ».

On a cru qu'il s'agissait de saint Célestin parce que, par terre, trois volumes sont posés, marqués Célestin, Pélagius et Julianus. Ce sont, en fait, les noms de certains auteurs d'ouvrages de patristique qui furent controversés non par saint Célestin mais par saint Augustin, l'Evêque dont la fête est célébrée le 28 août.

Il convient donc d'examiner le cadran solaire contemporain du tableau et qui se trouve sur la façade du château afin de connaître la position solaire exacte au 28 août 1715.

Mais il faut également noter les allégories suggérées par certains détails du vêtement épiscopal et par les objets représentés sur la toile.

La position du cœur flamboyant rappelle la citadelle templière qui fut détruite sur l'ordre de Philippe le Bel. Dans ses ruines, on retrouva quelques objets portant le sceau templier.

C'est le cadran solaire qui indique ce qui correspond au Saint.

Mais tout cela ne donne pas encore la clé. Clé mystérieuse autour de laquelle plane une étrange malédiction pour quiconque s'aventure en une telle queste sans y avoir été expressément convié.

Parmi les amis du châtelain de Valcrose qui participèrent aux premières recherches, deux hommes décédèrent rapidement peu de temps après. L'un mourut d'un cancer, l'autre, de tuberculose.

Un troisième qui avait effectué des sondages mourut d'une façon insolite. Son frère lui-même fut assassiné à quelques temps de là et son successeur connut le même sort [1].

Devant ces signes d'un destin implacable, on se souviendra qu'il n'est pas permis à n'importe qui d'aborder n'importe quand un trésor qui a été enfoui.

Pour celui de Valcrose, la date est fixée au 28 août.

C'est alors qu'il faut observer le cadran solaire mais surtout le ciel, car c'est lui qui donnera la clé magique qui ouvre le Seuil interdit.

A cette date, Arcturus se trouvera dans la direction de la Vérité. Et les sept flammes du cœur avec les sept divisions de la barbe de saint Augustin confirmeront qu'il faut tenir compte du septentrion et des sept étoiles de la Petite Ourse pour constater qu'à 70 degrés se trouve la constellation de l'Aigle et son étoile Altaïr.

C'est au pied du nid d'aigle que se franchira le Seuil.

---

1. Tout récemment un autre chercheur faillit rester au fond d'un puits de sept mètres qu'il creusait.

24

CŒUR-DE-PIGEON

L'Aigle a plané quelques instants au-dessus du vieux château de Valcrose puis, de ses ailes puissantes, il entreprend d'inspecter son domaine. Majestueux, indifférent, il reste le vrai maître de cette contrée du Val de Croix, veilleur céleste de hauts lieux délaissés.

Si nous suivons son vol, nous ferons avec lui un étrange pèlerinage où une spirale éthérée se dessine comme un cœur.

Voici d'abord la forteresse ou, plutôt, l'énorme masse rocheuse où subsistent ses ruines. Plus à l'est, sur la route de Comps, une vieille chapelle dédiée à sainte Anne, mère de la Vierge, mais aussi la Patronne des alchimistes, si chère aux Templiers.

Car nous sommes bien sur l'un de leurs fiefs, assurant par les gorges du Verdon, les liaisons entre l'Italie et la vallée du Rhône.

Vers le nord, c'est une autre antique chapelle. Construite au xie siècle, Saint-Thyers fut sans doute annexée par les Templiers car ceux-ci y gravèrent, au-dessus de la fenêtre de l'abside, la croix pattée de leur Ordre.

Chapelle qui ne déçoit pas l'observateur. Non seulement, elle donne accès aux souterrains qui sillonnent la région mais elle est aussi l'une des clés du rébus de Valcrose. Ce n'est pas sans surprise que l'on y voit, en guise de chapiteau, entre les deux arcades supérieures du clocher, un cœur que le soleil, à certains moments, saura faire flamboyer.

S'agirait-il du cœur que nous présente le Saint? Nous serions alors bien près de Veritas!

Quelques kilomètres plus haut, Notre-Dame-du-Roc, érigée elle aussi sur un promontoire rocheux qui domine de son à-pic la cité de Castellane. Un peu plus loin, vers l'est cette fois, Saint-Maur, puis la chapelle Saint-Jean, dans la vallée qui a pour nom Porte de Saint-Jean. A proximité, Saint-Etienne.

Plus près de Valcrose, un sanctuaire dédié à saint Trophime, premier Evêque d'Arles. Il apparaît à flanc de montagne, creusé à même le rocher qui en forme la nef et seul son mur de façade la délimite.

L'accès, au milieu d'un paysage chaotique, demeure difficile.

Chapelle d'une léproserie peut-être ou oratoire très ancien, datant si l'on en juge par les rares vestiges sculptés qui en subsistent des premiers siècles de l'ère chrétienne, servant de refuge à d'antiques anachorètes goûtant dans cette région sauvage les joies de la solitude.

Sainte-Anne, Saint-Thyers et Saint-Trophime forment un premier groupe de trois chapelles, séparé d'un autre groupe de quatre par une longue arête rocheuse au pied de laquelle s'étale une parcelle boisée, appelée, comme à Rennes-les-Bains « Les Charbonniers ».

Sept chapelles au total, au caractère régional, aux restaurations diverses, récentes ou fort anciennes, sept autels où brûlent les sept flammes du cœur que nous montre le Saint!

Si nous traçons un cercle ayant pour centre Valcrose et pour rayon la distance qui sépare le château de la chapelle Saint-Anne et si nous superposons à ce cercle un carré de même périmètre, nous nous apercevons que l'implantation de ces sanctuaires respecte des coordonnées géométriques.

Perception sensible des normes secrètes d'une harmonie totale puisque l'intuition humaine parvient ainsi à replacer avec sûreté des architectures qui demeurent vraies et sacrées parce qu'elles occupent dans un ensemble l'exacte position qui les maintient en harmonie avec la surface de la terre.

A l'ouest de Trigance, une chapelle dédiée à saint Roch se place symétriquement à Notre-Dame-du-Roc. Coïncidence? Ce n'est pas certain!

Nous disions précédemment que la recherche de l'harmonie terrestre peut se révéler à travers des architectures, grâce à une géométrie ésotérique appropriée, bien qu'inusuelle.

Les rapports que nous avons démontrés demeurent et vont nous aider à poursuivre notre route. En ce domaine, pour l'étude et la comparaison, point n'est besoin d'échelle de grandeurs ni même de valeurs.

En voici encore la preuve.

Regardons à nouveau le Saint et Vérité.

Vérité, c'est le soleil, celui qui ne trompe pas et qui se lève au solstice avec un décalage de 30 degrés environ par rapport à l'équinoxe. C'est cette Vérité

189

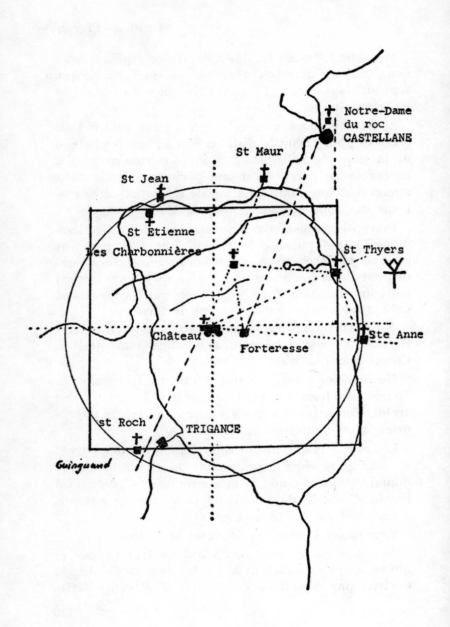

Notre-Dame
du roc
CASTELLANE

St Maur

St Jean

St Etienne

Les Charbonnières

St Thyers

Château

Forteresse

Ste Anne

st Roch

TRIGANCE

Guinguand

que le cadran solaire de Valcrose permet de vérifier. Vérité du Jour, Vérité du Temps.

Le Saint, c'est celui qui guide, qui est le « Maître » et qui « signifie ». Sa plume est l'indication de l'aiguille du cadran solaire et « Maître », saint Augustin le fut bien, lui qui édicta une Règle qui fut du reste celle que l'Ordre templier adopta en ses débuts.

La fête du Saint fixe au calendrier la date de la position solaire à observer. Mais ce n'est pas tout.

Que veulent signifier tous les autres détails pictographiques?

Superposons au plan précédent un tracé schématisé du tableau.

Est-ce un hasard? Voici une correspondance presque parfaite!

Nul doute qu'il soit même son origine car le tableau n'est autre qu'une représentation allégorique de la topographie régionale.

En Vérité le Saint dit vrai. Il explique son rébus : sainte Anne n'est-elle pas l'inspiratrice de maints grimoires d'alchimie et saint Jean le Grand Initiateur, indiquant « l'Angle » grâce à la numération secrète qu'il révèle dans l'Apocalypse?

Saint Roch précise où il faut poser le pied tandis que saint Thyers confirme que le cœur gravé sur son clocher correspond bien au cœur symbolique du tableau et que, de ce côté-là aussi, l'Angle est bien respecté.

Est-ce un hasard encore si, comme à Rennes, on retrouve devant la porte d'entrée du château un mûrier plusieurs fois centenaire, symbole de présences souterraines?

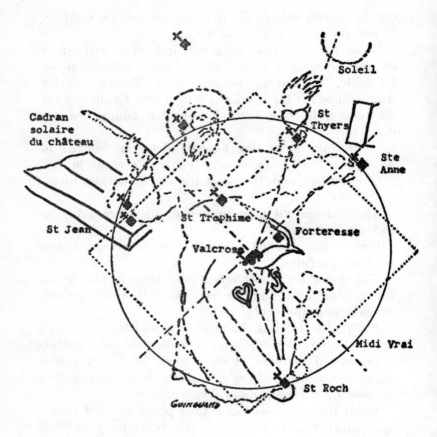

Face au cadran solaire, un autre très vieil arbre, contemporain même, aux dires d'horticulteurs avertis, du tableau exécuté en 1715. C'est un cerisier et qui mieux est, un de ceux qui produisent ces grosses cerises rouge foncé qu'on appelle cœur-de-pigeon.

Ne voit-on pas stylisé sur la robe du Saint le cœur

et l'arbre et, au-dessus, ce qui peut être une tête d'oiseau? Pigeon ou aigle dont l'œil recouvre exactement l'emplacement de l'ancienne forteresse templière.

Alors suivons le bec de l'oiseau et son regard qui semble fixer, en bas du piton, un domaine secret où trône un sphinx, maître des domaines cachés, tandis que la crosse du Saint Evêque se perd en spirales dans la nuit, la nuit du 28 août...

A ce moment, regardons le ciel.

Sous la constellation de l'Aigle, on trouve à côté du Serpent dont la Tête paraît sur le tableau près du pied gauche du Saint, la constellation de l'Ecu. N'est-ce pas surprenant?

Mais une autre surprise nous attend. A l'emplacement du cœur la carte du ciel superpose la constellation des Chiens de Chasse avec son étoile Alpha : Canum Venaticorum ou Cor Caroli, le Cœur de Charles.

Faut-il en déduire que les Templiers édifièrent leur bastion sur l'emplacement d'une ancienne construction carolingienne? C'est bien possible.

Chiens de Chasse pour une battue au trésor! Il faut croire que bien avant l'époque de l'abbé Saunière, il se trouva un homme qui, propriétaire du château de Valcrose, eut l'heureuse fortune, entre 1710 et 1715, de parvenir jusqu'à un trésor templier enfoui dans le Val de Croix.

Par quel chemin atteignit-il au but? Eut-il le courage d'emprunter le sinistre souterrain qui depuis la chapelle Saint-Thyers gagne la base de la citadelle? Il est vrai qu'à cette époque les infiltrations n'avaient sans doute pas encore fait effondrer partiellement ses voûtes qui sur une longue distance ne sont recouvertes que d'une faible couche de terre.

Ou bien sut-il découvrir au delà du cerisier, vers le Nid d'Aigle, cette faille providentielle qui livre parfois passage au chercheur avisé? Faille que l'on n'aperçoit que lorsque le soleil, sous un certain angle, indique par une ombre plus forte l'endroit où l'on peut se glisser.

Toujours est-il que si l'on regarde encore une fois le tableau, on distingue encore, à la hauteur du genou du Saint, un pli inachevé, confirmant qu'un prélèvement a été fait sur le trésor.

C'est ce qui permit de restaurer le château, imposant aussi le décalage de certaines fenêtres et l'obligation de laisser à la postérité un message qui pour être caché n'en est pas moins précis.

Les héritiers du châtelain chanceux furent-ils au courant? Allèrent-ils comme plus tard l'abbé de Rennes, tâter plusieurs fois du Poisson d'Or dans la souterraine réserve?

Seul le Saint parle et Veritas montre le chemin visible, laissant aux « signes » le soin de guider le chercheur qui sait placer son pied après avoir parcouru un « parchemin » sinueux conduisant à la spirale symbolique.

Labyrinthe souterrain, labyrinthe intellectuel, méandres de connaissances et de savoir que l'on peut suivre en mangeant des mûres ou des cerises rouges comme des cœurs de pigeons un jour de plein été.

25

LE REPAIRE DE L'AIGLE

Au pied de la Pyramide de Falicon, à mi-coteau, un ensemble de constructions au crépi rose se cache dans la verdure. C'est la « bastide ».

L'endroit s'appelle le « Torneo », le Tonnerre. Ce ne sont plus, à l'approche de la côte méditerranéenne, les fulgurants orages de la vallée des Merveilles, mais leurs grondements se gonflent de l'écho des montagnes toutes proches.

Plus bas, vers le nord-ouest, une petite chapelle dédiée, comme la Pyramide, à saint Sébastien, atteste encore la survivance d'une tradition templière.

La bastide elle-même repose sur des soubassements très anciens, des caves probablement romaines, et porte l'empreinte de divers styles d'architecture. Aux XIIᵉ et XIIIᵉ siècles, elle servait de maison communautaire aux Templiers qui l'occupèrent un temps ainsi qu'aux Antonins hospitaliers dont la maison provinciale se trouvait sur le rocher de Monaco, la « ville des moines ».

Près de la bastide, dominant l'ensemble des bâtiments, s'élève une tour carrée. Crénelée à l'origine, elle formait un bastion défensif, planté sur un à-pic rocheux, surveillant de loin la route qui conduit de Falicon à Cimiez. Elle subit au cours des siècles divers aménagements, fut surélevée et reçut quelques ouvertures supplémentaires.

L'intérieur est des plus curieux. Malgré l'adjonction, vers le XVI° siècle, d'un escalier qui mène à un plancher placé aux deux tiers de sa hauteur, on peut facilement se représenter l'aspect primitif de cette tour. Haute d'une dizaine de mètres, elle est dotée d'un plafond à voûte d'ogives.

Du haut en bas, les murs sont entièrement creusés de niches carrées, régulièrement espacées que leur enduit permet de distinguer de la paroi pleine[1].

Cette tour que l'on appelle encore le pigeonnier, tire son nom de celui de colombier et plus précisément de colombarium, l'édifice funéraire qui abritait dans des niches les urnes remplies des cendres des défunts.

Par l'aspect de ses murs, la Tour du Tonnerre offre une similitude frappante avec les parois de certaines grottes d'Anatolie et notamment de Gorème.

Templiers, Hospitaliers et pèlerins avaient parcouru l'Orient.

En avaient-ils rapporté cette coutume? Ont-ils

---

1. Nous avons réussi à déboucher quelques niches parmi les moins accessibles, afin d'être plus assurés qu'elles étaient demeurées intactes au cours des aménagements ultérieurs de la tour. Sous l'enduit, derrière un bouchon en aggloméré de morceaux de briques, on trouve un remplissage partiel de briques et de chaux et, au fond de la cavité, un amas de poussières et de fibres.

adopté à leur retour en France cet usage funéraire afin de mieux répondre aux précautions sanitaires qu'imposaient les maladies épidémiques qui opéraient de sérieux ravages dans les rangs des croisés et protéger de la contagion la population civile?

D'étranges graffiti décorent certaines parties des murs, entre les cavités. Plusieurs se ressemblent, se superposant ou se dispersant sur les parois. Ils représentent des nefs à trois mâts dont les coques divisées en trois bandes horizontales affectent une forme lunaire prononcée. Sur chaque bande, une série de perforations pratiquées dans le crépi avec un outil pointu.

Dans cette tour funéraire — car c'en est bien une — nous ne nous étonnerons guère de rencontrer les barques des morts, symbolisant l'ultime voyage des âmes, telles qu'on les retrouve quasi identiques dans toutes les mythologies.

Les mâts correspondent aux trois positions solaires essentielles de l'année, deux pour les solstices, une seule pour les deux équinoxes.

Barque solaire et lunaire tout à la fois, barque du voyage des âmes, mais aussi tableau de contrôle partiel du colombarium. En effet, chaque perforation, par sa position sur l'une ou l'autre des trois bandes de la coque, indique le grade initiatique du défunt dont les restes reposent dans la niche désignée.

Ces restes? Probablement le cœur, enveloppé dans un sachet de toile et déposé au fond de la cavité définitivement obturée.

Dernier vestige d'un être humain, d'un Ordre, d'une tradition qui dut être adoptée et tolérée malgré les prescriptions religieuses de l'époque.

Du sous-sol, maintenant comblé et qui fut sans doute le crématorium, monte un ancien conduit de cheminée où un autre dessin frappe le regard. C'est celui d'un petit personnage aux grandes cornes dont l'aspect insolite ajoute au caractère funèbre de l'ensemble une note diabolique grimaçante, tout à fait imprévue.

Image d'un Diable exorcisé? Figure d'un « Baphomet » au rictus obsédant, cachant les mystères d'une Tradition perdue? Rappel naïf d'une vision fugitive, accordée lors de l'initiation templière, de cette tête cornue qui renferme les secrets de la connaissance numérique, géométrique, transmutable et transmutante? C'est sans doute tout cela à la fois, perpétuant sur ces murs vieillis par les fumées et par le temps, l'idée d'un « infernal » qu'il faut abandonner avant de retrouver la lumière.

Ailleurs, un autre graffiti laisse rêveur.

Il se distingue au ras du plancher dont une partie est très ancienne. C'est probablement là que l'on déposait certains malades.

Le dessin représente un guerrier casqué tenant son épée droite. Derrière, la schématisation du soleil. Ce guerrier marche et, devant lui, une rangée de petits traits parallèles dont la précision, un peu plus loin, faiblit.

Et l'on pense à un malade, incapable de se lever ni même de s'asseoir, aux membres peut-être rongés de lèpre, souhaitant se représenter tel qu'il fut, valide, et qui aurait à chaque trait marqué les lunes de son calvaire.

Peut-être s'agit-il d'un homme que l'on aurait isolé et qui, détenteur d'un secret qu'il devait exprimer, le transmit par un autre dessin, tout proche du précédent.

Clé d'un secret qu'enfin soulagé d'un poids oppressant il aurait quand même pu communiquer, juste avant sa mort, à certains visiteurs d'un soir, venus recueillir les éléments souhaités, à la demande d'un maître de l'Ordre?

N'est-il pas permis de penser, si l'on en juge par les connaissances dont témoigne un autre dessin [1] gravé un peu plus bas que ces mots clés eussent pu être : mont Chauve et Repaire de l'Aigle?

Il est fort probable qu'alors, des visiteurs informés de la sorte se soient hâtés dans la nuit vers le mont Chauve en observant la position que prendrait la constellation de l'Aigle au lever du jour.

Et là, conduits par un berger, ils auraient gravi la pente jusqu'à rejoindre la route de Tourrettes en un point où se dresse une pierre levée.

A cent pas, vers la gauche, on aperçoit la masse sombre de rochers au sommet desquels l'aube naissante laisse apparaître la tête d'un Lion [2] à côté de celle d'un Aigle et, bientôt, tout le relief prend la forme du corps et des ailes de l'oiseau royal [3]. Sous sa tête s'ouvre une cavité bordée par une pierre sculptée, à forme de tête humaine, soutenant un bloc énorme. Il faut suivre le regard de l'homme qui voit se coucher le Lion.

La Vierge sera alors placée au-dessus du mont

---

1. Cf. *Falicon, pyramide templière*, ouvrage déjà cité.
2. Très abîmée maintenant. La constellation du Lion se lève avec le soleil au solstice d'été.
3. La constellation de l'Aigle se lève avec le soleil au 20 janvier, fête de saint Sébastien.

Revel et du sanctuaire de la Vierge Noire de l'Aba-
die. Et Arcturus du Bouvier indiquera par le ciel
l'entrée du souterrain où le moribond aurait pu
cacher le dépôt qu'on lui avait peut-être confié en
Terre sainte pour le ramener avec ses compagnons
en Terre de France.

Mais en cet endroit du mont Chauve, les chercheurs auraient pu être intrigués par une maçonnerie qui s'encastre sous le rocher, à proximité du
souterrain. Une ouverture est ménagée dans sa
façade triangulaire, permettant d'accéder à l'intérieur où l'on s'aperçoit alors qu'elle repose également sur une base triangulaire.

Lieu bien curieux où les forces de la terre et de la
nature peuvent s'unir aux forces du ciel pour que le
Lion alchimique s'évanouisse dans l'Œuvre afin de
faire apparaître l'Aigle.

Il n'est pas surprenant qu'en ce site, plus propice
et plus accessible que le plateau des Merveilles, des
fondeurs aient voulu transformer les minerais que
pouvaient prodiguer les entrailles du mont
Chauve.

Il reste à déterminer qui a taillé les rochers ou
bien si le hasard a fait lui-même magnifiquement les
choses, grâce à un « ludus naturae » pour le moins
surprenant, inexplicable.

D'autant plus étonnant si, un 20 janvier, il vous
arrive de voir planer dans le ciel un aigle magnifique qui viendra vous apporter par sa présence la
confirmation du lieu et celle d'une connaissance
johannique.

26

UN AIGLE ENIGMATIQUE

Si par une belle nuit de la Saint-Jean d'été, on se prend à contempler le ciel, on peut voir se lever majestueusement, au sud-est, la constellation de l'Aigle, surmontée du Cygne et du Vautour des Anciens — notre Lyre. Le Lion est alors vers l'ouest, conduisant la Vierge vers les humides royaumes atlantiques pendant que le Capricorne grimpe doucement à l'est.

De ses ailes invisibles et pourtant déployées, l'Aigle recouvre les espaces de la terre qu'il survole, porteur de messages que l'homme doit recueillir et interpréter, tirant ses augures de sibyllines correspondances.

Car cet Aigle indique en son graphisme céleste trois points similaires sur le sol de Provence : Valcrose, Vilcrose et Vallecrosia.

Les vestiges qui s'y trouvent ne sont pas identiques. Malgré cela, toutes trois peuvent postuler dans l'énigme du Val de Croix et être le réceptacle de dépôts métalliques ou de trésors dont le sous-sol, en ces époques lointaines, était le coffre-fort le plus discret.

L'Or des Templiers

La Commanderie de Vilcrose, près d'Aups, ne fut pas construite par les Templiers. Il semble qu'elle soit de conception bénédictine ou plus probablement augustine. Elle est très abîmée.

Cependant, si l'on se trouve — vers 18 h 30 — entre le 16 et le 20 août, fête de saint Bernard, dans le chœur de l'ancienne chapelle, on peut assister à un curieux phénomène. Avant que le soleil ne se couche, tandis qu'il forme encore avec l'observateur un angle de 17 degrés, on peut remarquer, à un instant précis, que ce qu'on voit sur le mur n'est plus l'ombre de la personne qui se trouve placée dans le soleil, mais bien la projection de son squelette.

Il est prudent de s'abstenir de prendre un bain dans l'eau du bassin. Il pourrait avoir de fâcheuses conséquences pour peu qu'on soit fragile !

Tout cela provient d'une transposition de la lumière solaire à son déclin, produite par l'interception d'un écran fluidique qui monte du sol.

On remarque d'ailleurs que les pierres du bassin, au niveau de l'eau, sont complètement rongées par une action corrosive. Celle-ci ne résulte pas de la nature de l'eau elle-même, mais de celle des rayons solaires qu'elle reçoit par la réverbération des pierres et sans doute aussi d'un effet lunaire identique.

Le régisseur du domaine, M. Pain, reçoit très aimablement les visiteurs qu'il entretient volontiers de ses remarquables essais de compost et de cultures. Et rien de tout cela ne paraît insolite dans un tel lieu, pas même le fait d'obtenir du lait des chèvres sans qu'elles aient de chevreaux.

202

D'autres chercheurs ont examiné Vilcrose mais nous ignorons leurs déductions.

Il n'en reste pas moins qu'il y a en cette Provence un lien curieux qui rattache Vilcrose à Valcrose et à Vallecrosia.

Pour le moment, le mystère demeure entier et si l'on n'a pas non plus découvert encore à Vilcrose l'Or du Temple, on y a cependant retrouvé des témoins d'essais de transmutation.

Une pierre caractéristique en forme d'Aigle en présente les marques.

Elle provient d'un point, à proximité de la Commanderie où subsistent de nombreux vestiges de civilisations primitives : pierres phalliques, dolmens, grottes, constructions archaïques en très gros blocs de pierre et autres.

L'endroit semble avoir été fréquenté depuis toujours pour certaines raisons, surtout pour ses propriétés telluriques et hydrographiques.

Comme tous les lieux élus, il fut utilisé par l'homme sensible et ingénieux. Le sous-sol contient les roches et les minerais les plus divers, un éventail parfait de produits rares, utiles ou indispensables aux opérations alchimiques.

Et Vallecrosia? Valle Santa Croce?

Quand en Italie, on descend de la vallée des Merveilles vers la mer en suivant la direction de l'Aigle, on arrive à cet autre Val de Croix : Vallecrosia[1], petite bourgade où se trouvait une bailie templière.

---

1. Un jeune chercheur, Claude Vacarezza, s'est lancé sur cette piste et c'est à lui que nous devons ces renseignements.

Curieuse coïncidence car ce troisième point secret, aussi énigmatique que le Valcrose de Trigance, possède également son « nid d'aigle ».

On y accède, depuis Santa Croce, par le modeste village de San Biaggio della Cima, pour constater qu'une foule de détails dont l'accumulation et la similitude intriguent, posent à notre curiosité des questions auxquelles il faut chercher des réponses.

Dans ce village de Vallecrosia, une église bien que restaurée a cependant conservé une tradition patronale séculaire. On y a respecté, comme l'enseignait la règle compagnonnique, sans rien modifier, les « signes » de reconnaissance architecturaux.

Au centre de la façade subsiste donc une statue de saint Antoine accompagné de son Cochon, patron des Antonins dont le culte fut encouragé par saint Barnard, l'Evêque de Romans. On retrouvera saint Antoine à l'intérieur de l'église, revêtu du Manteau Vert de la Connaissance qui est généralement réservé à saint Jean l'Evangéliste.

A gauche figure saint Bernard, le promoteur de l'Ordre templier, surmonté d'une effigie féminine assise sur une étoile.

A droite, la statue de saint Sébastien, le patron templier que nous avons déjà souvent rencontré, sous celle d'une autre femme tenant une colonne, le pied posé sur un lion. Il peut s'agir d'une indication stellaire se rapportant à la date du 20 janvier à minuit. C'est alors que l'on peut voir, effectivement, vers le sud-est et l'est, la constellation de la Vierge dominant celle du Lion [1].

---

1. La Colonne est la Voie Lactée.

Le motif de gauche pourrait renvoyer à la Vierge et à la Balance qui se couchent à l'ouest le jour de la fête de saint Bernard.

Celle de saint Barnard, le 23 janvier, se rapproche des fêtes de saint Antoine et de saint Sébastien.

Il faut noter aussi la direction vers laquelle sont tournés les regards des angelots qui dominent chaque statue.

Sur le chemin qui conduit du village vers le sommet du pic, se trouve une petite chapelle. Comme à Rennes-les-Bains, à Rennes-le-Château et comme à Valcrose, on y voit un tableau explicatif : une Annonciation dans laquelle un nuage pyramidal rappelle le piton. C'est une nouvelle indication chronologique, renvoyant à la date du 25 mars, jour de l'Annonciation. Là, à minuit, la Vierge et le Lion sont encore visibles en direction sud.

Le trésor de Vallecrosia — si trésor il y a — serait donc sous le pic, sous le Nid de l'Aigle.

Une indication complémentaire reste à trouver. Et elle existe car, en regardant le rocher, on voit la tête sculptée que nous avons déjà rencontrée au « Repaire de l'Aigle » et la masse elle-même du rocher fait apparaître, dans les rayons du soleil levant, sa forme monumentale.

L'or templier serait-il à Vallecrosia et non à Valcrose?

Y aurait-il une liaison que nous ne savons pas établir avec la Commanderie de Vilcrose où le 20 août au soir, les sous-structures des bâtiments, la force particulière du lieu, peuvent permettre toute transmutation?

Certaines roches, certains composés calcaires ou

basiques ont pu être purifiés là pour être utilisés sur place ou ailleurs. Mais les indications manquent aussi bien à Vilcrose qu'à Vallecrosia pour établir s'il y eut effectivement un dépôt important.

Un fait pourtant demeure à peu près certain. C'est que les trois citadelles ou fortins ont été détruits à la même époque, au cours du XIVᵉ siècle. Elles furent rasées. L'on sait que sur l'ordre de Philippe le Bel tout bastion, toute commanderie fortifiée, suspect d'avoir pu appartenir à l'Ordre du Temple fut impitoyablement anéanti.

La disparition des murs a entraîné celle des signes indicatifs qu'ils pouvaient porter. Si certains survivent malgré tout, ils n'ont pas encore permis que diverses cachettes templières soient violées.

Le Dragon continue à garder les trésors qu'Orion lui a confiés.

27

UN GITE PORTUGAIS

Comme les étoiles de la Voie lactée, les Wisigoths s'étaient scindés en deux groupes et ceux qui prirent la direction de l'Espagne firent halte à Tolède où l'on retrouva, en 1858, une partie du trésor. Les plus hardis continuèrent à avancer vers l'ouest, jusqu'à Tomar d'où ils se répandirent vers le nord du Portugal.

Après avoir conquis la capitale des Alains, Portucal, ils la rebaptisèrent Braga et s'y installèrent.

D'après les traditions wisigothiques, Tomar formait un point tellurique extrêmement propice et cette terre privilégiée fut, par la suite, maintes fois confirmée par l'Histoire.

Saint Bernard y fit édifier l'un des plus beaux fleurons de l'ordre cistercien, l'abbaye d'Alcobaça qui demeure l'un des plus purs chefs-d'œuvre de l'architecture gothique en ses débuts[1].

Tomar devint le berceau où prirent naissance les plus belles pages de l'histoire du Portugal et reste

---

1. Alcobaça se trouve à 65 kilomètres à l'ouest de Tomar et, à mi-chemin, se situe Fatima.

encore, de nos jours, une terre d'élection pour ceux qui demeurent attentifs aux phénomènes cosmiques.

C'est encore une fois la légende qui nous permet de remonter aux sources lointaines en suivant des sentiers fleuris que l'Histoire ne peut emprunter. Les mots clés, toujours les mêmes, sont transmis de génération en génération, respectant fidèlement une signification cachée qui demeure intacte au milieu des détails merveilleux dont la légende s'enrichit peu à peu.

Cette légende raconte qu'un jour, tandis qu'il labourait son champ, Wamba fut informé qu'il venait d'être élu roi des Goths. Surpris, le nouveau roi déclara qu'il n'accepterait ce titre que s'il se produisait aussitôt un miracle. Et, instantanément, l'aiguillon qu'il tenait dans sa main pour piquer les bœufs de son attelage, se couvrit de feuilles d'olivier en or.

A Reddae, il y avait quarante Bouchers. Ici, nous trouvons un Bouvier avec ses Bœufs et des feuilles d'olivier en or, tandis que la Constellation du Bouvier — ou la Charrue — se place à 13 degrés de celle de la Vierge.

C'est donc sous la protection de la Vierge que l'on enfouit l'or des chariots wisigothiques, près du sanctuaire tellurique qui se nommera plus tard Notre-Dame-des-Oliviers.

Il y demeurera longtemps et un couvent de quarante-quatre moines veillera à entourer le lieu de ses soins et de ses prières.

Un souterrain le reliait au couvent de Santa-Iria et les pierres de soutènement que l'on y retrouva confirment son origine wisigothique par leurs motifs sculptés de têtes de bovidés.

Le boyau dut être consolidé ultérieurement en certaines de ses parties puisqu'il s'y trouve des voûtes en ogives, marquant une restauration templière, contemporaine sans doute de l'époque où l'on creusa le souterrain qui relie le couvent au château templier.

Comment se présente l'énigme à Notre-Dame-des-Oliviers?

A première vue, il y a peu d'éléments.

La chapelle elle-même, de style gothique, a respecté l'orientation d'un sanctuaire primitif. Elle correspond au lever du soleil au 28 août, fête de saint Augustin, le saint Evêque du tableau de Valcrose.

Le clocher, distant d'une quinzaine de mètres de la construction principale, est orienté selon le lever du soleil au solstice d'été, fête de saint Jean-Baptiste.

L'ensemble répond ainsi à une tradition ancienne en même temps qu'à la cosmogonie nouvelle.

Le sol de la chapelle est garni maintenant des pierres tombales d'un cimetière qui entourait l'édifice.

Une stèle murale recouvre une niche latérale où ont été placées les cendres du héros et fondateur de Tomar, le chevalier Gualdim Païs.

L'architecture ne révèle pas d'autres indices mais les piliers et les pierres sont marqués des signes compagnonniques traditionnels de l'époque gothique, scrupuleusement respectés et retransmis sans aucune altération, comme toujours, même lorsque leur signification demeure inaccessible aux successeurs des bâtisseurs.

Ceux qui édifièrent la nouvelle chapelle se conformèrent à la coutume.

C'est ainsi que la statue de la Vierge qui date du xvᵉ siècle ou du xviᵉ siècle et que l'on peut encore admirer à Notre-Dame-des-Oliviers, demeure une statue traditionnelle, à la place même qui fut la sienne dès l'origine.

Elle porte sur le bras gauche l'Enfant Jésus et tous deux font, avec la main droite, le même « signe ».

Il n'est que de suivre ce signe — fort différent de celui que fait le Diable de l'église de Rennes-le-Château — pour comprendre qu'il indique une direction.

Celle-ci se trouve confirmée dans le dallage par une ligne qui passe entre les piliers de la nef jusqu'à la partie latérale droite. Là est scellée une grande dalle oblique.

Selon l'angle inférieur, on retrouve la direction du couvent de Sainte-Iria. C'est l'emplacement de cette dalle qui peut marquer l'accès du souterrain rejoignant le couvent.

Le puits, situé à l'extérieur de la chapelle, permettrait son aération.

Ce souterrain fut le terrain de jeu favori des enfants de ce quartier de Tomar. Ils le parcouraient encore, voici moins de quarante ans. D'après leurs affirmations, il se prolongerait vers le sud, sur deux kilomètres environ, rejoignant l'ancienne Nabancia romaine.

Sous un angle de 34 degrés vers l'est, par rapport à Notre-Dame-des-Oliviers, furent mises au jour les fondations du domaine seigneurial wisigothique.

210

Sous un même angle vers l'ouest, on retrouve celles de Nabancia.

Au centre du portail de l'église, on se trouve très exactement à 13 degrés de l'axe du mirador du château templier.

Voici donc encore une fois réunies toutes les coordonnées qui permettent de déduire qu'un dépôt a pu être enfoui sous terre. Et ce dépôt fut confié à la vigilance de deux couvents et placé sous la surveillance d'un mirador, suivant l'idée reprise par l'abbé Saunière qui bâtira à cette même fin sa Tour Magdala.

28

UN CHATEAU PAS COMME LES AUTRES

Le premier jour de mars de l'An 1160[1], Gualdim Païs posait la première pierre du château de Tomar. Elle devait être la pierre d'achoppement des incursions arabes. Comme toute construction de choc, elle fut pourvue des derniers perfectionnements techniques que permettait l'époque.

Tomar, Seconde Province templière, était appelée à devenir le Siège de l'Ordre en Portugal. Elle conserva cette prérogative au cours des siècles suivants et, après avoir été le berceau de l'Ordre templier, elle devint, nous l'avons vu, celui de l'Ordre des Chevaliers du Christ.

Il était donc normal que toute la « somme » des connaissances présidât à la construction de cet édifice, connaissances militaires et connaissances ésotériques.

Son implantation obéit aux règles arithmétiques, bases de la science hermétique templière.

La longueur et la largeur sont entre elles dans le

---

1. Jusqu'en 1564, le 1er mars était le premier jour de l'année légale.

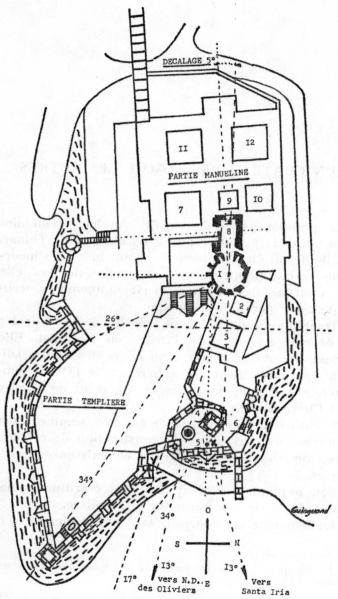

Plan du Couvent du Christ-Tomar-Portugal

rapport de deux sur trois, ce qui donne effectivement l'angle de 34 degrés depuis le centre de la
Coupole des Templiers — la Charola — jusqu'à la
tour carrée du sud-est.

La moitié de cet angle servit pour l'orientation
principale des bâtiments. Le point essentiel, la
chapelle octogonale, fut édifié dans l'enceinte du
vaste donjon situé en retrait.

Il est difficile de savoir comment se présentait le
dispositif de sécurité du côté ouest et du côté nord
puisque ces emplacements furent utilisés pour la
construction des bâtiments qui constituent l'actuel
Couvent du Christ.

Celui-ci s'est étendu vers le nord, comme pour
rappeler le souvenir des origines de la Tradition
ancienne.

La Charola gothique témoigne d'une volonté
d'affirmation de l'Octogone.

Elle est la concrétisation symbolique de l'idée
sacrée fondamentale de ses promoteurs et la Roue
de ce chariot rappelle la Rota symbolique, la Rose
argotique.

Pour l'admirer, il faut lever les yeux.

On songe rarement, et c'est dommage, à poursuivre une transposition qui est pourtant à l'origine
de cette œuvre d'art. La voûte représente le ciel et les
arcs ogivaux soulignent les directions élémentaires des
points cardinaux et des points intermédiaires.

Elle invite à observer la voûte céleste.

Là, une constellation se rapproche du plan du
château, au point d'en retracer sur le sol les limites
exactes.

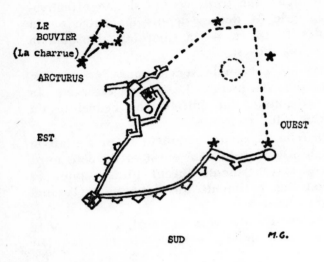

NORD

LE
BOUVIER
(La charrue)

ARCTURUS

EST

OUEST

SUD   M.G.

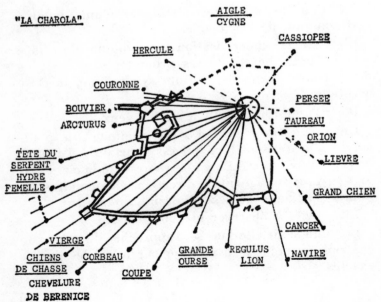

"LA CHAROLA"

AIGLE
CYGNE

HERCULE

CASSIOPEE

COURONNE

PERSEE

BOUVIER

TAUREAU

ARCTURUS

ORION

LIEVRE

TETE DU
SERPENT
HYDRE
FEMELLE

GRAND CHIEN

VIERGE

M.G

CANCER

NAVIRE

CHIENS
DE CHASSE

CORBEAU

GRANDE
OURSE

REGULUS
LION

CHEVELURE
DE BERENICE

COUPE

On ne sera pas étonné d'apprendre qu'il s'agit de la constellation du Bouvier.

En inversant le plan de l'édifice sur la carte du ciel, on est frappé de la concordance.

Pour déterminer la position du Bouvier parmi les autres constellations, il faut examiner la carte du ciel au 1er mars, puisque l'histoire a consigné cette date comme celle de la pose de la première pierre de l'édifice.

Mais le décalage chronologique dû à la précession des équinoxes[1] pour la période de huit cent douze ans qui nous sépare de 1160 est de onze degrés. Il faut effectuer la correction et c'est donc sur la position du ciel au 12 mars, à zéro heure, qu'il faudra se baser.

La coïncidence devient alors remarquable.

La Charola se trouve au nord, sur la Petite Ourse — ou Petit Chariot — alors que la tour carrée du sud-est marque l'emplacement du Grand Chariot. Les arcs ogivaux indiquent l'orientation des principaux groupes d'étoiles.

Le Bouvier est au-dessus de la tour pentagonale et Arcturus, son étoile principale, se place dans l'objectif du mirador, vers le couvent de Sainte-Iria.

La Tête du Serpent signale l'entrée du puits par lequel le Serpent souterrain s'enfonce vers la rivière, en suivant la rue « Serpa Pinto » !

Et la constellation de la Vierge vient couronner, dans le fond de la vallée, la chapelle de Notre-Dame-des-Oliviers. Son puits est sur le Serpent de

---

1. Le point vernal se déplace de 1 degré en soixante douze ans.

sous terre dont la Queue se prolonge jusqu'à Naban-cia, comme le confirme le Serpent d'étoiles.

Puis vient la constellation du Corbeau, offrant son analogie avec le Cloître des Corbeaux du couvent du Christ.

Nous en verrons plus loin le côté alchimique.

La constellation suivante, la Coupe, confirme que le bas-relief qui subsiste sur la façade de l'église Saint-Jean-Baptiste est bien à sa place, dans la direction indiquée par la troisième tour de l'enceinte.

La seule tour ronde qui puisse s'apparenter à notre globe terrestre reçoit le message du Cancer et du Navire, formulant les présages des Grandes Découvertes futures dont l'idée aventureuse naquit à Tomar.

C'est peut-être en ce lieu qu'il prit corps dans l'esprit de l'Infant Henrique, « Le Navigateur », qui fut Grand Maître de l'Ordre des Chevaliers du Christ.

Viennent ensuite les constellations du Grand Chien, du Taureau, de Persée, puis Cassiopée, le Cygne et l'Aigle.

L'enceinte du château, la disposition des tours, faisaient de cette imposante forteresse un observatoire céleste permettant d'obtenir toutes les précisions voulues des messagères stellaires qui donnent les augures du Grand Cadran sacré.

Ce sont donc bien des tendances universelles, sacrées, qui présidèrent aux hautes destinées de ce lieu, privilégié entre tous, et qui servit de refuge aux Templiers français fuyant l'iniquité du Roi de France.

C'est en ce lieu vers l'ouest qu'ils voudront mettre en sécurité leurs richesses et celles-ci viendront rejoindre ce qui subsiste du trésor wisigothique.

Et les oliviers refleuriront de nouvelles feuilles d'or.

Ce sera l'Ave d'allégresse adressé à Notre-Dame qui trône glorieusement à la Tête du Serpent de sous terre.

Elle acquiescera d'un signe de la main, indiquant en un message caché l'itinéraire qu'il faut suivre pour trouver deux rameaux d'or et deux connaissances, celle de la Charrue d'Arcturus et celle de la Charola de Tomar.

Et tout cet or permettra, trois siècles plus tard, la réalisation du rêve du fier Gualdim.

Les Temps seront révolus et dix fois 26 ans après la fondation de Tomar, Madère, le premier jalon, sera découvert qui aura aussi sa Pointe des Oliviers.

29

DON MANUEL LE FORTUNE

Le succès des Grandes Découvertes et la fortune subite et colossale qui en découla firent du Portugal et de ses souverains les heureux bénéficiaires de la « Charola » de la Fortune.

Le goût avisé de Manuel 1er poussa ce souverain à édifier de nombreux monuments qui marquèrent un style nouveau. Cette renaissance artistique gagna rapidement tout le Portugal, si bien que chaque sanctuaire, chaque édifice officiel voulut se parer de décorations au goût du jour.

Tomar ne fit pas exception à la règle. Les églises de Saint-Jean-Baptiste et de Sainte-Iria d'abord, puis le château médiéval que l'on dota du couvent du Christ.

Détenteurs d'une vérité architecturale, ses bâtisseurs surent en respecter les principes et la nouvelle construction fut adaptée à l'ancienne de façon à tenir compte de la précédente disposition « cosmique ».

Par son décalage — cinq degrés environ — elle indique qu'elle date de 1520 au plus tard [1].

---

1. Selon la précession des équinoxes, à soixante-douze ans par degré, cinq degrés donnent trois cent soixante ans.

L'Or des Templiers

Les connaissances secrètes qui avaient donné naissance au style « français », appliquées par les moines de Clairvaux à l'élaboration d'Alcobaça et par les maîtres d'œuvres à l'édification de la cathédrale d'Evora et aux magnifiques réalisations gothiques de l'Ile-de-France, ne se sont pas perdues.

Elles firent partie de l'héritage imparti à Don Manuel.

Dans le message séculaire subsiste un principe essentiel de la connaissance dite « gothique » qui découle de l'égalité d'un cercle, d'un carré et d'un triangle.

Géométriquement ce principe correspond à une certaine quadrature impossible à réaliser suivant les données pythagoriciennes. Celles-ci y sont obligatoirement incluses mais ne peuvent donner la clé puisque le Pi classique — 3,1416 — n'est plus en jeu.

La quadrature appliquée à toutes les œuvres du style gothique permet leur analyse immédiate. Elle permet aussi de les reconnaître sans erreur.

Les Nombres sont issus de l'Apocalypse de saint Jean, correspondant d'ailleurs à ceux de la structure nucléaire.

Ce sont donc bien des rapports universels.

Un cercle de diamètre invariable, deux carrés de même périmètre et de même surface que le cercle forment la base de ce principe qui, symboliquement allie le Cosmos — le cercle —, la Création — le carré — et le Ternaire spirituel — le triangle.

En les superposant au plan du château de Tomar, on constate que tous les éléments et jusqu'aux tours, correspondent aux diverses coordonnées.

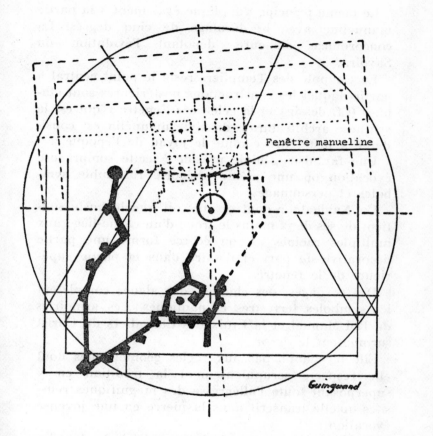

Fenêtre manueline

Détail des murailles et Tourelles et des différences d'inclinaison d'axes constructifs

L'emplacement des richesses « cachées » est déterminé par un point alpha dont la connaissance, sur le plan architectural, figure parmi les secrets compagnonniques.

223

Le même principe s'applique également à la partie manuéline avec le décalage de cinq degrés. La concordance demeure, dénotant l'évolution du Savoir.

La Coupole des Templiers reste le point central à partir duquel les constructions postérieures sont établies (Cf. dessin) et la célèbre « Fenêtre » qui est la synthèse architecturale du style manuélin est considérée à juste titre comme le joyau de l'époque.

Une fantaisie géniale préside à cette somptueuse évocation où une même allégorie rassemble symboles et personnages.

Un Navigateur dont on ne voit que le buste soutient de ses deux mains le tronc d'un chêne-liège aux multiples racines et son écorce forme une partie décorative de part et d'autre dans la partie supérieure de la fenêtre.

Des cordages, des chaînes, des algues complètent les symboles terrestres et nautiques. Les armoiries du Roi Manuel et la Croix des Chevaliers du Christ surmontent le décor.

Elle n'échappe pas aux règles géométriques dont elle respecte scrupuleusement la tradition en y superposant toute l'allégresse des magnifiques réussites qu'elle transcrit dans la pierre en une joyeuse évocation.

Un carré de même surface qu'un cercle — dont les côtés sont prolongés — détermine sur le cercle issu du carré circonscrivant le cercle initial, les points où se coupe un autre carré.

Et ainsi de suite.

C'est très simple, on pourrait presque dire que cela paraît élémentaire puisque la largeur de la fenêtre est indiquée par les deux lignes reliant les intersections du cercle et du carré. Mais encore faut-il en accepter la quadrature et la connaître!

Cela paraît tellement élémentaire qu'à l'heure actuelle ce principe paraît relever de la plus pure utopie, étant donné que notre siècle s'occupe de la recherche de vérités secondaires qui ne sont plus le chemin de la Vérité primordiale.

Nous sommes certains de la réussite de ceux qui ont recherché cette Vérité première et bien inquiets de la nôtre qui méconnaît la Tradition.

Et cette Fenêtre nous ramène vers les richesses enfouies puisque ce sont toujours des angles de 13 degrés que nous montrent encore la chaîne et le ruban qui entourent le tronc sur les parties latérales. Ils sont les symboles de l'Ordre de la Jarretière et de la Toison d'Or.

Les Portugais ont su illustrer pour leur compte la légende des Argonautes et, plus heureux que leurs mythiques prédécesseurs, ils ont découvert une mirifique Colchide qui leur vaudra renommée et richesses.

La Connaissance perdue, la Charola, a tourné et l'Or des Templiers retomba dans le secret.

Et Gualdim Païs n'est plus dans son sarcophage.

La plaque qui recouvre ses cendres porte pourtant quelques marques initiatiques.

Que vient faire sur cet In Memoriam ce petit cercle à huit rayons surmontant trois traits verticaux, symboles des trois positions solaires fondamentales et base de la Cosmogonie templière?

Ce III dont le tiers est 37 dont on ôte le Ternaire qui lui est inclus. Il reste encore une fois 34.

L'Or des Templiers

Et ce 34 comprendra 13 et son Orient et encore 21, le Nombre des cathédrales gothiques dédiées à Notre-Dame, reine universelle et médiatrice entre le ciel et la terre que l'homme idéaliste et inquiet recherchera indéfiniment dans le mythe du Féminin Eternel.

30

LES MYSTERES DU COUVENT DU CHRIST

Les connaissances géométriques templières, fondées sur des progressions numériques et des rapports de nombres à correspondances universelles devaient obligatoirement amener les chercheurs de l'Ordre à franchir les portes alchimiques de la transmutation.

Les Chevaliers du Christ reprirent le flambeau et la disposition des bâtiments manuélins devait répondre à cette nécessité.

Les indications alchimiques ne manquent pas dans le couvent du Christ et c'est tout un chemin initiatique qui s'offre en ces lieux.

Pour en trouver la porte, il faut évidemment partir de l'ancien château templier.

En son langage secret, le principe alchimique utilise l'Œuf comme terme de base. L'Œuf alchimique renferme à la fois le Principe, le Germe et le Tout, capable d'engendrer le processus de transmutation par la répartition des électrons, selon le principe elliptique de la giration des atomes.

Ce qui est vrai dans le monde intersidéral pour les planètes l'est aussi pour la structure de la matière.

L'Œuf sera donc le symbole exotérique de ce principe ésotérique.

Mais le processus alchimique de la transmutation n'est mis en mouvement que suivant des correspondances terrestres et célestes. Il ne peut être entrepris n'importe quand ni n'importe où.

Certains lieux privilégiés seuls lui conviennent situés sur des veines telluriques exceptionnelles.

Il en est de même pour tous les phénomènes d'une certaine alchimie « cosmique ».

C'est ainsi que les plus grands « miracles » du Moyen Age ne se sont produits que dans les sanctuaires situés sur ces veines bénéfiques et, toujours, la Vierge des Forces terrestres demeurait associée à ces faveurs célestes surnaturelles.

Au cours des siècles suivants, les phénomènes exceptionnels suivirent le déplacement sismique des Serpents de sous terre et les apparitions, assez nombreuses, du XIXe siècle, soulignent ces décalages géographiques. C'est ainsi que les anciens sanctuaires de Marsat, de Saint-Antoine, d'Héas, pour n'en citer que certains, ont fait place à de nouveaux centres, Paray-le-Monial, La Salette, Lourdes.

Au Portugal, c'est sur la veine tellurique de Tomar, à Fatima, que les apparitions s'accompagnèrent, en 1917, de phénomènes solaires [1]. La Vierge qui demeure une image sacrée de l'intermédiaire fluidique qui relie le ciel et la terre, y répéta encore une

---

1. Là aussi, en cinquante ans, le point tellurique s'est déplacé d'une vingtaine de kilomètres et se situe maintenant à Ladeiar dos Pinheros dont nous entendrons sans doute reparler dans les prochaines années.

fois ses avertissements, ses exhortations et sa douloureuse compassion maternelle.

Et ce fut en 1917 — 17 que nous connaissons déjà
fort bien — que la Vierge s'associa le concours du
soleil dans ce modeste village aussi peu connu que
l'était avant 1961 le petit hameau de Saint-Sébastien-
de-Carabandal, sur la veine qui longe la Côte canta-
brique, dans la Province de Santander où il y eut de
nombreuses apparitions.

L'observation des positions solaires et lunaires
reste donc primordiale pour l'analyse des phénomènes alchimiques.

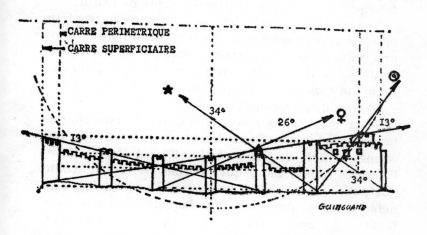

Analyse du profil du Château Templier de Tomar.
Le Château devenait un observatoire permanent.

En examinant l'aspect général que présente la
façade du château templier de Tomar, on peut voir
non seulement que les tours sont régulièrement espa-

cées — selon une division en six du carré de même périmètre que le cercle — mais encore que tout s'inscrit dans le carré de même surface. Les angles habituels s'y retrouvent et la hauteur de la tour correspond à la position du soleil au midi vrai des équinoxes à la latitude de Tomar.

C'est à la tour carrée que débute le chemin vers la cour intérieure qui sépare l'ancien château du Couvent du Christ.

Il est probable que sous le sol de cette cour il existe une ou plusieurs salles souterraines dont l'accès serait possible par le puits. C'est de ce point, en effet, que l'on peut apercevoir, vers l'ouest, au faîtage des bâtiments, le premier signe de l'Œuf.

A celui-ci, les Templiers adjoignirent souvent un autre élément architectural qui servit à l'observation précise des étoiles à certaines dates. C'est « l'œil-de-bœuf », petite fenêtre circulaire dont le pourtour permettait un repérage gradué.

La tradition l'a conservé [1].

Grâce à lui, nous pouvons établir diverses constatations architecturales concernant le couvent lui-même, avant de trouver la tête à trois faces, l'Hermès Trismégiste, qui domine en clé de voûte une petite salle située à proximité du réfectoire. Elle détermine une direction dans laquelle, à travers une fenêtre, on peut effectivement apercevoir un autre Œuf.

Celui-ci nous conduit, au delà de la Fenêtre manuéline, vers le Cloître de la Miche d'où une nou-

---

1. Incidemment, nous retrouvons encore la correspondance avec le Bœuf et le Bouvier.

velle observation ramène le regard vers le Cloître des Corbeaux.

Corbeau est un terme cher aux alchimistes car il cache deux interprétations secrètes de la préparation du Grand Œuvre. Sa réalisation ne peut s'effectuer qu'en un lieu choisi.

Celui-ci se trouve sous le Cloître de la Miche (n° 12 sur le plan) qui se situe — selon l'axe manuélin décalé — dans un angle de 13 degrés vers l'ouest. Le Cloître des Corbeaux forme le même angle, donnant ainsi 26 degrés au total tandis que l'analyse onomantique de « Corbeau » confirme ce 26.

Au centre du Cloître de la Miche se trouve un puits et dans ce puits, deux escaliers s'enfoncent sous terre. C'est là que se trouvaient les salles de recherches organiques et de transmutation.

La transmutation n'est possible que par l'intervention du chlore, au nombre atomique 17[1]. Nous ne nous étonnerons donc pas de constater que le puits de la Miche forme avec la Fenêtre de Don Manuel un angle de 17 degrés. C'est d'ailleurs la direction que suit le regard du vieux Capitaine qui soutient de ses efforts l'ensemble décoratif de la Fenêtre.

Qui dit Alchimie dit Or et qui dit Or pense Trésor.

Si les réserves de Tomar n'ont pas été épuisées, elles demeurent et les Chevaliers du Christ, détenteurs du secret, l'ont emporté avec eux dans la tombe.

---

1. En symbolisme, 17 est le Nombre de l'Étoile.

Peu à peu, la Tradition s'est perdue.

Dans les salles de transmutation du château primitif, les minerais du Brésil étaient changés en argent quand la galène, la blinde ou la pyrite manquaient. Mais quand les arrivages affluaient, une partie du minerai d'argent était transmuté en or. Les réserves étaient alors transportées vers l'entrepôt secret, à 13 degrés par rapport à l'Orient.

Plus tard, dans le couvent manuélin, aux xve et xvie siècles, la transmutation demeurera identique, mais le circuit intérieur s'inversera pour respecter toujours le même angle d'orientation vers l'est.

Puis vint le temps où les Corbeaux se turent et où les sarcophages du Cloître des Sépulcres gardèrent leur énigme.

Les Corbeaux maintiennent leurs relations avec les morts et les sarcophages restent placés dans le soleil de la vie qui continue à éclairer au printemps l'horizon de Tomar.

Ils attendent la transmutation parfaite après avoir connu celle des rameaux d'olivier que l'œil des bœufs wisigothiques avait vus se couvrir de feuilles d'or.

Si bien que deux puits sont dans le même axe au couvent du Christ pour aller rejoindre celui de la Chapelle où la Vierge retrace le signe permanent en compagnie d'un saint Evêque dont on a oublié le nom mais qui pourrait bien être saint Félix, pape wisigothique.

31

LE TRESOR QUI REND FOU

L'ardent désir de détenir des richesses que l'on suppose cachées peut faire miroiter les plus folles espérances, mais il peut aussi entraîner dans certains esprits un déséquilibre permanent.

Or, si les circonstances de la vie permettent de vivre à proximité de lieux où ces trésors peuvent avoir été enfouis et qu'une extrême sensibilité amplifie encore l'idée du merveilleux, cela peut devenir une sorte de frénésie.

Et si, en outre, ces lieux ont déjà une histoire chargée et que des entités errantes viennent les hanter du souvenir persistant de leurs vies passées, tout un monde de fantômes rejoint le peuple des gardiens du seuil et des génies de sous terre et s'agite désespérément quand les vivants viennent le troubler.

Si bien que les cerveaux les plus solides peuvent sombrer dans les hallucinations les plus fantasmagoriques et leur langage retranscrit l'énigme terrifiante dans laquelle, bon gré mal gré, ils se trouvent plongés.

Il est un coin, dans la région de Tomar où, la nuit, les spectres retournent et dans la campagne leur macabre cortège rencontre au Royaume des Ombres les créatures de sous terre et les gardiens des secrets enfouis.

Tristement, ils parcourent de leur marche incessante et sans but les horizons brumeux ou des ciels plus limpides, gardant le secret espoir de faire comprendre aux vivants qui ne les voient pas que leur équipée nocturne n'est que le signe d'une malédiction qu'ils n'avaient pas voulue.

Pendant d'interminables nuits, ils entourent le monde visible des lueurs phosphorescentes de leur gloire passée ou des feux follets imperceptibles de leur destinée perdue.

C'est ainsi qu'une nuit, une femme sensible et inspirée voulut suivre leurs pas et son ombre inquiète et curieuse se joignit à celle des hallucinants pèlerins.

Elle marcha durant des heures d'un temps inexistant dans le groupe évanescent des guerriers en armes, vieux routiers, ridés et basanés ayant épuisé leur souffle à parcourir sans fin les routes de l'Orient et de l'Occident.

Pesants et silencieux, ils allaient de leur pas mécanique, comme alourdis d'un inquiétant fardeau.

Elle suivait sans mémoire, traversant le silence peuplé de souvenirs où elle cherchait les siens.

Sans qu'elle entendît un son, elle sut tout à coup que la marche prenait fin. Le cortège insolite fit halte brusquement dans une clairière humide, à la sortie d'un bois.

Sur la rivière, plus bas, flottait une lumière étrange, grise, presque argentée, un halo irisé, froid, qui lui glaçait les os.

La femme, alors, put distinguer ses compagnons de route.

Tous portaient une croix identique à la place du cœur.

Puis le mouvement reprit et la file s'engagea, à l'orée du petit bois, sur une allée sableuse qui crissa d'un seul pas.

Une large bâtisse blanche, vaste habitation ancienne, se dressait là. Des fenêtres carrées, aux montants de pierre ocre dont le poli ancien brillait doucement.

La femme les reconnut instantanément.

Autour d'un vieux puits à la margelle usée qu'un olivier hors d'âge recouvrait en partie de son ombre étirée par la clarté lunaire, de nouveaux venus, formes étranges comme des bêtes ou des plantes issues d'un autre temps ou bien sortis de terre, s'étaient joints aux ombres à nouveau figées en une garde inutile.

L'une d'elles, au visage de vide, s'adressa à la femme : C'est ici, disait-elle sans paraître parler, que nous livrâmes bataille et ces pierres que tu vois ont rougi du carnage.

Elles vibrent encore du souvenir des cris, des sifflement de nos lames, du choc de nos piques.

Notre mission était capitale, elle était sacrée.

Après avoir recommandé nos âmes à Dieu et à la divine miséricorde de notre sainte Mère de la Chapelle des Oliviers, nous vînmes jusqu'à Nabancia-la-Romaine, arrêter la horde des suppôts de Satan.

Tels des démons, ils arrivaient de toutes parts et

l'horrible multitude sarrasine bientôt nous submergea.

C'est là, près de l'entrée de ce souterrain qui conduit au château que nous fîmes tous sacrifice de notre vie, après avoir lutté jusqu'à notre dernier souffle pour défendre notre Foi, notre Roi et nos biens. Car notre mission était de protéger nos richesses sacrées que nulle main impie ne devait profaner. Nous étions les gardiens investis par la Volonté divine des Vases Sacrés et de l'Or du Temple de Jérusalem!

Et puisque te voilà parmi nous, femme insensée, viens!

Tu verras ce que depuis des siècles nul vivant n'a pu voir.

Tes plus folles chimères ne sont que songes creux à côté de la vérité!

Et pourtant, tu en rêves, avide créature, depuis tes plus jeunes années et tu passes tes nuits à te remémorer l'histoire que t'a contée ton aïeul avisé[1].

Tu te dis que non, ce n'est pas un conte de fées que l'aventure qui advint à ton arrière-grand-père, si pauvre que pour nourrir sa nombreuse famille, la commune lui permit, par charité, de cultiver cette parcelle aride. En retournant le sol, il y trouva assez d'or pour s'assurer une vie privilégiée et sans souci.

---

1. Cette histoire est authentique. On peut voir à Tomar, à deux kilomètres environ de l'actuel centre de la ville, sur la route qui conduit au château de Bode, vers la Zézère, une propriété cossue appartenant aux héritiers de cette très pauvre famille qui reçut l'autorisation de la commune, à la fin du siècle dernier d'exploiter des terrains communaux en friches, situés à proximité de l'emplacement de Nabancia.

Sa sagesse lui permit de s'en contenter. Mais toi, tu ne connais pas le repos et sans cesse tu y penses et vois en tes songes ces trésors fabuleux dont une ancestrale mémoire t'a transmis la Tradition secrète!

Alors, regarde bien. Tu ne t'es pas trompée et puisque tu l'as tant voulu, nous allons t'y conduire. Dans ce puits, tu verras les pierres qui masquent le passage que tes aïeux se sont gardés de franchir. Maintenant, tu apprendras comment on accède à la salle souterraine où tu voulais aller!

La femme était maintenant plantée devant l'orifice. Sans savoir comment, à quel instant, elle franchit l'étroit passage.

Elle se laissait glisser, tête baissée, dans le boyau humide où flottait une odeur douceureuse de chaude moisissure, de poussières mortes, dans un silence épais.

Elle entrait en la terre en un trajet sinueux. Le sol était glissant, les murs étouffaient un clapotis boueux. Une lumière soudaine, aveuglante, l'éblouit brutalement.

Un court instant, il lui sembla qu'elle allait perdre la vue. Quand elle rouvrit les yeux, elle suffoqua, clouée au sol par la tension insoutenable, l'incroyable pouvoir de fascination de l'extraordinaire vision.

La salle était immense, circulaire. Le sol en était sec et, comme les murs, revêtu de grandes dalles de pierres irrégulières. Tout était ruisselant de lumière et, au centre, des rayons mouvants se croisèrent en des éclairs rapides dès qu'elle fit un mouvement.

Des lambeaux d'étoffes brochées d'or, d'argent,

apparaissaient par endroits entre des tas irréguliers de gemmes.

Leurs feux brûlants, aux mille nuances, éclataient en prodigieux bouquets. Il lui sembla entendre crépiter un feu d'artifice !

Des châsses, des écrins, des coffrets de nacre incrustée d'or, d'ivoire, d'ébène luisant ou de cèdre blanc, rehaussés de pierres, de perles, d'émaux satinés, chatoyants, étaient encore ouverts.

Certains à moitié vides, d'autres renversés, offraient des parures splendides, superbement ouvragées, couronnes, diadèmes, colliers précieux, bagues aux pierres énormes. Des sarcophages en pierre, en porphyre, sculptés d'étonnants motifs, débordaient d'un invraisemblable mélange de vases, de calices, de croix, de chandeliers d'or, de vermeil.

Tout avait un éclat satanique, hallucinant, envoûtant.

Des statues de métal alignées en désordre, à gauche de l'entrée, fixaient de leurs yeux vides cette femme palpitante, audacieuse qui osait les tirer de leur sommeil métallique.

Au fond, elle apercevait des panneaux de tailles différentes, ornés de gravures régulières. Leur reflet lui sembla encore plus beau que tout le reste. Elle sut que c'était là l'Or du Temple de Jérusalem !

Maintenant, la femme n'avait plus peur, elle se sentait assurée. Elle savait. Plus rien ni personne ne pourrait jamais lui faire oublier ce que ses yeux, éveillés et vivants, avaient vu.

Elle ne se lasserait jamais de contempler toutes ces richesses qu'elle faisait siennes à présent. N'était-elle pas l'élue, la messagère que ces merveilles enfouies depuis des siècles attendaient pour revivre au soleil leur gloire retrouvée?

Ses mains brûlantes se refermèrent sur des pièces d'or qui débordaient d'une immense coupe posée à même le sol et qu'elle n'avait pas remarquée encore. Elle les enfouit hâtivement dans la poche de son tablier.

Quelques instants plus tard, elle se retrouva à l'air libre. Elle vola plutôt qu'elle ne courut jusqu'auprès de sa maison. Personne ne la vit s'y glisser, telle une ombre légère.

Le matin, dès son réveil, elle se hâta de chercher son tablier. Elle le retrouva accroché près de la porte du jardin.

Fébrilement, elle chercha la poche, celle de droite, où elle avait mis les pièces d'or.

Une vive brûlure la fit jeter un cri qu'elle étouffa en retirant précipitamment la main!

Depuis, elle semble avoir quelque peu perdu la raison et on l'appelle la « Folle[1] ». Parfois, elle raconte tout bas à un ami qu'elle a vécu au milieu des morts la nuit la plus merveilleuse de sa vie.

---

1. En portugais « la mania », personnage que nous avons rencontré.

32

LE SOLEIL D'OR — HORUS

La valeur d'un trésor ne réside pas obligatoirement dans sa masse et dans les substantiels avan-
tages qu'il peut providentiellement offrir sur le plan
matériel et social.

Il est divers trésors. La Connaissance en est un.
Elle ne recherche pas impérativement le profit inattendu. Elle permet d'amasser au fil des jours
quelque chose d'aussi précieux. Sait-on d'ailleurs
vraiment en quoi consistaient certains de ces fabuleux trésors?

Nous avons vu que nombre de nos mythes n'attendaient l'or de leurs richesses que du soleil, de celui
qui transforme tout en or, Toison, Peigne, Chèvre ou
Clochette.

Nous avons tenté de retrouver certains aspects de
cette queste de l'or solaire, soit que les divers peuples
aient eu besoin de remonter aux sources, vers le
soleil naissant, afin de savoir s'affirmer dans leur
destin, soit qu'ils aient voulu dépasser ce fatum et
progresser plus avant vers le soleil couchant avant
l'inévitable déclin.

Quelques millénaires avant notre Ere, les pré-

Celtes sont partis d'ouest en est à la recherche d'un renouveau qui leur permit de franchir les limites hyperboréennes, tout en abandonnant aux civilisations rencontrées sur leur route les cristaux limpides de leur savoir originel.

Ils allèrent vers l'Orient ramasser des perles merveilleuses qu'un soleil exalté rendait plus fascinantes. Puis, chargés de ces précieux joyaux, ils regagnèrent, siècle après siècle, le point de départ de leur audacieuse équipée, ne laissant pour toute histoire que ces mégalithes rudes et sombres qui recouvrent les territoires de l'Ancien Continent.

Après eux, les Gaulois, partis du nord eux aussi, allèrent jusqu'en Perse et en Asie Mineure fonder la Galatie après la Galicie et même la Galilée, puis revinrent en leur terre d'élection en poussant leurs espoirs éveillés vers le soleil couchant où « Finit la Terre » en Gaule et en Galice.

Rome désireuse d'atteindre à l'apogée suprême fait déferler vers l'ouest des vagues belliqueuses nécessaires à maintenir la grandeur d'un empire qui ne sait plus vers l'est rajeunir ses richesses. Les hordes wisigothes, dans leur intuition primaire, s'en furent jusqu'en Orient rechercher les raisons d'un savoir et, après les Romains, l'or précieux qui seul est comparable au soleil.

Ramené vers l'Occident, l'éblouissant métal qui, en Asie Mineure ornait des murs aux rutilantes surfaces, n'a plus sa signification dans un soleil rougeoyant. Il faut l'enfouir et le cacher hors des rayons de l'astre.

Comme tant de leurs prédécesseurs, les Wisigoths n'ont fait que suivre les veines vitales de la terre qui s'amplifient des effluves solaires. Leurs évolutions à la surface du globe les aura transformés, pour ainsi dire transmutés. De guerriers nomades, ils devinrent laboureurs.

Quand le voyageur s'arrête, il ne cherche plus et le Graal s'enterre. L'or dressé verticalement vers le soleil est un étalon cosmique. Enfoui, il n'est plus rien.

Mais la marche reprend dans un élan mystique.

Porteurs d'un germe oriental enfoui dans un écrin celtique, des moines sont détenteurs de trésors ésotériques fondamentaux.

Maîtres d'un savoir, les Bénédictins poussent les pèlerins vers l'ouest, aussi loin que possible, soutenant les élans de la foi, le développement de leur Ordre et l'expansion chrétienne. C'est Saint-Jacques-de-Compostelle.

Puis viennent les Cisterciens qui n'hésitent pas à entreprendre simultanément la double queste, vers le soleil levant et celui du couchant.

Leurs fils, les Templiers, reprennent leurs directives en replaçant dans leurs arcanes les mystères égyptiens.

Mais s'ils s'efforcèrent de mettre leurs richesses au service de tous, sachant qu'il n'était pas permis qu'aucun d'eux en possédât personnellement une parcelle, ils ne purent, comme les Egyptiens, manifester à l'or le respect qu'il mérite et le sacraliser en le replaçant dans le soleil, tel Khéops coiffant d'un pyramidion d'or le sommet de la Grande Pyramide.

Les Templiers n'ont pas su restituer à l'or son trône solaire. Ce fut leur grande erreur.

Et s'ils trouvèrent les moyens d'approvisionner

abondamment leurs coffres, ils ne firent qu'amplifier la masse d'un métal trop commercialisé.

Il n'y avait plus la part du soleil-roi et le Graal disparut. Pendant ce temps, beaucoup plus loin vers l'ouest, les Incas montraient vis-à-vis de l'or la même grandeur désintéressée que les Egyptiens.

Il fallut plus tard la cupidité ignare d'Européens de l'ouest, cherchant le renouveau du matérialisme, entraînés par le courant nocif que la Renaissance avait entamé, pour détruire aveuglément cette civilisation.

Fuyant la France, les Templiers emportèrent eux aussi vers l'ouest ce qui allait servir aux jeunes espérances de leur renouveau.

Mais ils ne purent semble-t-il embarquer sur l'Argo qu'une partie de la Toison, celle qui territorialement dépendait du contrôle céleste de la constellation de l'Aigle.

Les richesses qui se trouvaient au-dessous de Bourges ne purent être transportées au delà des limites de l'Hexagone et paraissent avoir été soumises à des lois universelles qui ont impérativement imposé leur enfouissement.

Les Coffres templiers devinrent des Cercueils.

Les lieux élus pour ces souterraines demeures se situent dans les régions mêmes où les Gaulois se délestèrent de l'Or de Delphes et où les Wisigoths confièrent à la terre le trésor d'Alaric.

Il semble donc qu'il n'y ait eu dans ce domaine aucune évolution entre l'époque gauloise et le xive siècle, les Templiers n'apportant pour toute innovation que la façon de « re-vêler ».

C'est peut-être beaucoup...

Quoi qu'il en soit, tout cela conduit à penser que la cosmogonie templière et surtout cistercienne qui en est l'origine, ait quelque peu dépassé, dans son activisme impatient, les lois des deux soleils — levant et couchant — qui paraissent avoir été appliquées simultanément dans une trop grande hâte et une précipitation nuisible.

Ce sont les Templiers, parce qu'ils possédaient la masse de métal catalyseur, qui furent les victimes des premières réactions, les plus violentes.

Si les répercussions furent moindres pour les Cisterciens qui n'en détenaient que la contre-valeur en biens fonciers, elles n'en existèrent pas moins pour cet ordre qui, plus ou moins ouvertement, s'était élevé contre d'autres chercheurs mystiques, les Cathares, qui avaient su à l'instar des Antonins, effectuer eux aussi leur retour mental aux sources du soleil naissant.

Dans cette affaire les moines n'avaient eu d'autre but que le soutien de la papauté, puissance religieuse certes, mais aussi puissance financière parmi les grands de ce monde, bien qu'elle n'ait pas connu que des heures fastes, comme le prouve l'invention « croisades ».

Les Templiers, partis de France, se mirent au service du Portugal, mais nous comprenons mieux sans doute maintenant, à la lumière de ces appréciations, quelle fut la nature fondamentale des erreurs qui provoquèrent l'extinction ultérieure de leur ordre en même temps que le déclin obligatoire du royaume qui leur offrit refuge.

Après le siècle de Manuel 1er, son « Roi-Soleil », bâtisseur et architecte, le Portugal n'a plus su consacrer au soleil levant les richesses que ses caravelles rapportèrent du couchant. La question mystique solaire s'inversait, provoquant la perte du savoir et de la tradition. Le chemin symbolique du Royaume du Prêtre Jean devenait la route matérialiste du commerce.

Le Temple ou la Pyramide est une architecture élevée à l'intention de l'homme, pour son évolution mentale et sa mise en correspondance spirituelle par sa propre projection sur une abstraction.

La pierre est le médium qui assure la liaison entre sol et ciel par le soleil, quand elle est dimensionnellement appelée à cette sacralisation par la coudée, mesure verticale, mesure incantatoire.

Si la pierre, la chair même de la terre, est douée de sa propre résonance pour assurer cette mise en phase, elle acquiert dans le Saint des Saints un aboutissement plus parfait quand elle se revêt d'or.

Cet or qui couronne l'architecture comme le pyramidion de Khéops ou qui s'adapte à une surface murale comme dans le Temple de Jérusalem ou les sanctuaires mayas, prend dans la lumière une efficience rythmée et parfaitement harmonique s'il vit de la valeur secrète de la coudée.

Voici pour le temple extérieur, afin de constituer le temple intime. C'est là qu'intervient l'alchimie dont les divers courants d'inspiration et d'initiation n'ont fait que suivre des coordonnées permanentes, terrestres et solaires et les divers courants d'influence mystique.

Avec cette seule différence qu'il s'agit de recréer un or palpable ou abstrait non plus par les deux aspects de la coudée — sa mesure concrète et son ombre visible — mais d'après la vibration de ces deux aspects, son hypoténuse, utilisée en une Quatrième Dimension. C'est resituer le fils du soleil.

Donner à l'or la forme d'une pierre qui n'est autre qu'un lingot et l'enfouir, c'est détruire le temple invisible, la Pierre philosophale.

33

L'OR DES TEMPS FUTURS

Pour l'homme aveuglé, l'or est devenu synonyme de richesses matérielles.

Il lui a fait perdre sa destinée naturelle et cosmique en lui faisant remplir un office auquel il n'était pas appelé.

Reflet du soleil, l'or devait demeurer dans le soleil pour servir à l'équilibre universel et à l'intronisation du sacré par les correspondances métaphysiques qu'il peut établir.

Pécher contre l'or, c'est pécher contre le soleil et l'Univers. C'est vouer à une méconnaissance des vérités premières.

Et ces vérités premières sont les trois aspects de la coudée quand celle-ci est dressée dans les feux du luminaire diurne, n'atteignant sa valeur harmonique que lorsque la nature elle-même est en harmonie avec l'univers qui l'entoure.

Pas de civilisation durable et exaltante pour l'homme, en même temps qu'enrichissante sur tous les plans, si la coudée et l'or ne sont pas, par une sacralisation harmonique, inondés des rayons solaires qui les transforment.

C'est alors que les civilisations pourraient devenir sédentaires sans crainte de perdre les derniers grammes d'une connaissance et d'un savoir.

Mais, rompant le contact avec ses dieux, l'homme cherche plus loin. Après la Lune, c'est Mars et Vénus qui deviennent ses horizons.

Grâce à sa science perfectionnée, il multiplie les vaisseaux cosmiques et les satellites aux métaux savamment élaborés. Ces métaux largués autour de la planète engendrent une polarité inverse de ceux qui gisent dans la couche terrestre.

Au fur et à mesure que leur masse augmente, les magnétismes cosmiques se déplacent. En même temps, la lune voit sa polarité modifiée, elle aussi, par des apports métalliques, électroniques et hyper-électriques, utilisant des ondes « mécaniques » artificielles et inharmoniques. Un autre métal doit devenir l'appoint lunaire nécessaire à l'équilibre sur terre et dans les airs.

Les plates-formes satellisées augmentent les limites de la terre afin de demeurer à la dimension de la nouvelle spirale engendrée pour la future conquête de l'espace.

Et les civilisations deviendront temporairement les nomades de l'Ether. Les hordes s'élanceront vers des horizons inconnus à la recherche d'une aurore de la « tradition originelle » pendant que des êtres venus d'une hyperborée sidérale feront miroiter aux radars des satellites de notre planète les paillettes d'un devenir dont seuls les anges ont le secret.

« Et les anges viendront en cette terre annulaire s'unir aux femmes des hommes » en une Genèse rénovée. L'éclat de leurs yeux s'incrustera dans le métal. Un nouveau Salomon voudra élever un Temple à l'Eternel dans les espaces intersidéraux.

Quel sera le métal sacré qui pourra être « L'Or des Temps Futurs »? La science produira-t-elle un jour un « métal-médium » nouveau qui satisfasse l'équilibre humain dans une progression dont l'accélération constante est imprévisible à long terme?

L'uranium ne répond pas à cette nécessité car il impose non seulement de délicates précautions pour assurer à l'homme une protection parfaite mais il exige simultanément l'enfouissement de ses déchets radio-actifs en des points profonds qui ne garantissent pas pour autant son innocuité totale et définitive.

Serait-ce le neptunium au nombre atomique 93, composé transuranien que les Egyptiens connaissaient et qui reste disparu jusqu'à ce que la science ne le remplace artificiellement?

Ou bien l'électrum, presque parfait dans son alliage d'or solaire et d'argent lunaire dans lequel on saura doser aussi le fer de Mars et le cuivre de Vénus, sans oublier la part de Mercure?

Nous pencherions pour le choix de ce dernier métal qui, s'il recouvrait le Saint des Saints d'un sanctuaire de l'Ere future, donnerait aux générations nouvelles la vision « réelle et astrale » comme pouvaient l'avoir les Egyptiens dans leurs miroirs isiaques en électrum.

La qualité du métal de ces miroirs avait pour propriété de faire tomber les barrières qui séparent le visible de l'invisible et d'unir en un hymen magique les feux des luminaires avec les formes incréées des formes à venir.

Reste à la future Connaissance à trouver sa triple coudée et son orient constructif.

Elle pourra alors édifier ses temples recouverts d'un électrum sacré ou d'un neptunium réinventé.

Puis viendront ensuite les Temps où cet Or-IUM sera pillé par de nouveaux Romains ou d'autres Wisigoths venus d'Arcturus qui iront l'enfouir dans les supernovae de la Voie lactée, peut-être celles de l'Aigle, pour que les Amazones templières de l'Ere du Verseau puissent le repêcher sur la ligne des Poissons disparus.

Mais attention, amis lecteurs. Si l'un d'entre vous trouve un trésor sacré, comment fera-t-il pour replacer le « signe » pour les Ages à venir afin que toutes les précautions soient prises et les obligations respectées?

Il lui faudra tenir compte de l'Angle des Temps à venir.

Ce ne sera plus le rapport de 1/2, de 5/3 ou de 2/3 mais un autre rapport découlant de l'aboutissement numérique initiatique de 8 en son rapport avec la recherche de la Connaissance, 5, soit 1,6 — I-SIX l'Isis Parfaite.

Tenant compte de l'angle issu de ce rapport, l'oracle du ciel nous prédira que le navire-fusée des espaces bleus est prêt à quitter sa base pour faire route vers la Cosmonaute au Gouvernail[1], version

---

1. Que les Mayas figurèrent.
A ce sujet, il est également permis de penser que leurs graphismes de personnages extra-terrestres peuvent aussi bien être des souvenirs de faits passés que des visions de l'avenir, ce que l'on a omis de supposer.

nouvelle de la Dame à la Licorne qui, sous la forme
de Sirius et de la Licorne, se trouvera à 31 degrés
des Deux Anes du Cancer, un Deux Février, nuit de
la Chandeleur, anniversaire de la Présentation du
Christ dans le Temple reconstruit.

ACHEVÉ D'IMPRIMER LE
12 OCTOBRE 1973 SUR LES
PRESSES DE L'IMPRIMERIE
BUSSIÈRE, SAINT-AMAND (CHER)
POUR
LES ÉDITIONS ROBERT LAFFONT

— N° d'édit. 5200. — N° d'imp. 1294. —
Dépôt légal : 4° trimestre 1973.